Curso de espa[illegible] ños

Pasacalle 1

Isidoro Pisonero
Jesús Sánchez Lobato
Isabel Santos
Raquel Pinilla

Sociedad General Española de Librería, S.A.

¡BIENVENIDOS A PASACALLE!

Tienes en tus manos PASACALLE, un divertido curso de español para niños y niñas, que te va a permitir aprender esta lengua como a ti te gusta.

Desde el primer momento vas a hablar y a escuchar, a leer y a escribir en español. Vas a conocer nuevos amigos, a participar en juegos, a dibujar, y a cantar bonitas canciones.

Muy pronto vas a saber decir cómo te llamas y a saludar a tus amigos. Podrás decirles cómo es tu casa y qué haces en ella. También visitarás colegios en los que se habla en español y participarás en fiestas. Y podrás contar a tus "profes" o a tus amigos qué ropa prefieres ponerte, qué sabes hacer, qué cosas te gustan, y cuáles son tus animales preferidos.

En el libro segundo y en el tercero puedes seguir aprendiendo y pasándotelo bien. Cuando termines el tercero, podrás hablar en español de muchas más cosas con tus amigos o con niños y niñas de España, de Uruguay, de México, de Argentina y de otros muchos países. Y, también, podrás escribirles cartas hablándoles de ti y de tu país. Habrás aprendido nuevos juegos, canciones y poesías. Aprender español puede ser fácil y también divertido.

LOS AUTORES

Primera edición en 1997
Sexta edición en el 2003

Produce: SGEL - Educación
Avda. Valdelaparra, 29. 28108 ALCOBENDAS (MADRID)

Coordinación editorial: Julia Roncero
Cubierta: Víctor Lahuerta
Maquetación: Érika Hernández
Dibujos: María Ángeles Maldonado
Fotografías: Harvey Holton

ISBN: 84-7143-603-5
Depósito legal: M-6.657-2003
Printed in Spain - Impreso en España

Composición: Érika Hernández
Fotomecánica: Preyfol, S. L.
Impresión y Encuadernación: Talleres Gráficos Peñalara, S. A.

Índice

Familia y amigos

1 Escucha y mira el dibujo siguiente

2 Mira y lee

Hola, soy Ana. ¿Cómo te llamas tú?
Me llamo Laura.
Hola, Toni.
Hola, Daniel.
¿Cómo se llama tu perro?
Se llama Can.
Adiós, Laura.
Adiós, Ana.
Adiós.
Adiós.

3 Di sus nombres

Esta es Ana | Este es... | Esta es... | Este es... | Este es...

4 Lee y habla

Hola,
soy Lola. ¿Cómo
te llamas tú?
Me llamo
David.

Hola,
soy Roberto. ¿Cómo
te llamas tú?
Carmen.

5 Escucha y observa

Yo me llamo Ana.
Tú te llamas Daniel.
Él se llama Toni.
Ella se llama Laura.
Yo soy Ana.
Tú eres Daniel.
Él es Toni.
Ella es Laura.

6 Mira y relaciona

1

2

3

4

5

A. Yo soy Laura.

B. Es Can.

C. Yo soy Daniel.

D. Es Ana.

E. Yo soy Can.

F. Es Toni.

G. Yo soy Ana.

H. Es Laura.

I. Yo soy Toni.

J. Es Daniel.

EJEMPLO: **4A.** *Yo soy Laura.*

7 Escucha y mira

Estos son mis amigos.
Esta es Laura.
Este es Daniel.
Este es Paco.
Y esta es Kate.

Esta es mi familia.
Elena
Carlos
Juan
Rosa
Toni
Ana

8 Escucha y observa

¿Cómo se llama tu madre?

Se llama Elena.

9 Lee y habla

¿Cómo se llama tu padre?
Se llama John.

¿Cómo se llama tu hermano?
No tengo ningún hermano.

¿Tú?
¿Tu padre?
¿Tu hermano?
¿Tu madre?
¿Tu abuelo?
¿Tu hermana?
¿Tu abuela?

10 Juega con el abecedario ilustrado

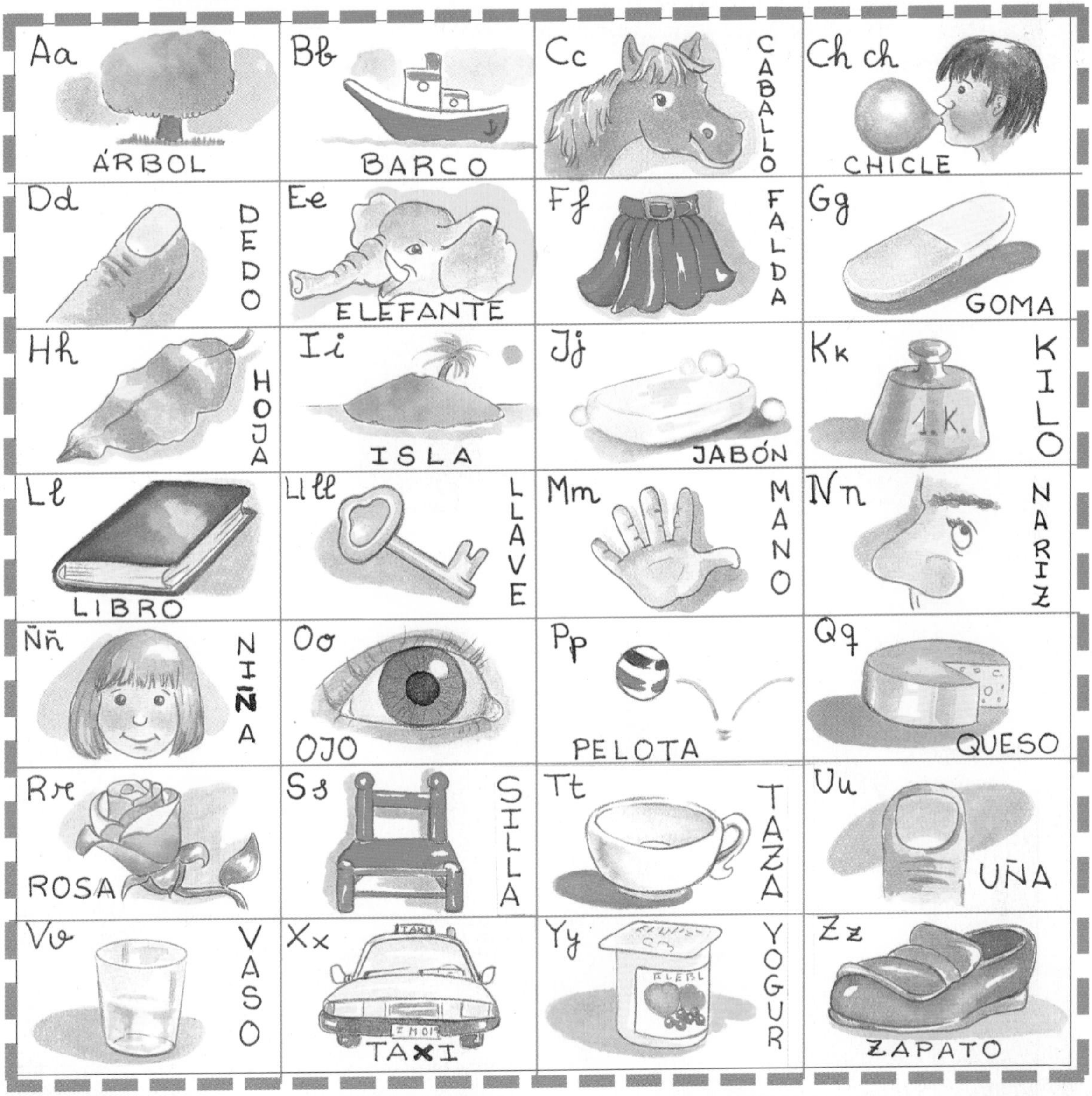

11 Juega con tus amigos

12 El juego de los nombres

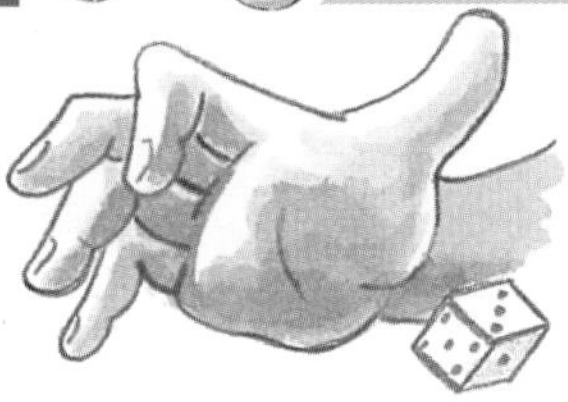

¿Cómo se llaman?

2 Mi colegio

1 Escucha, mira y señala con el dedo

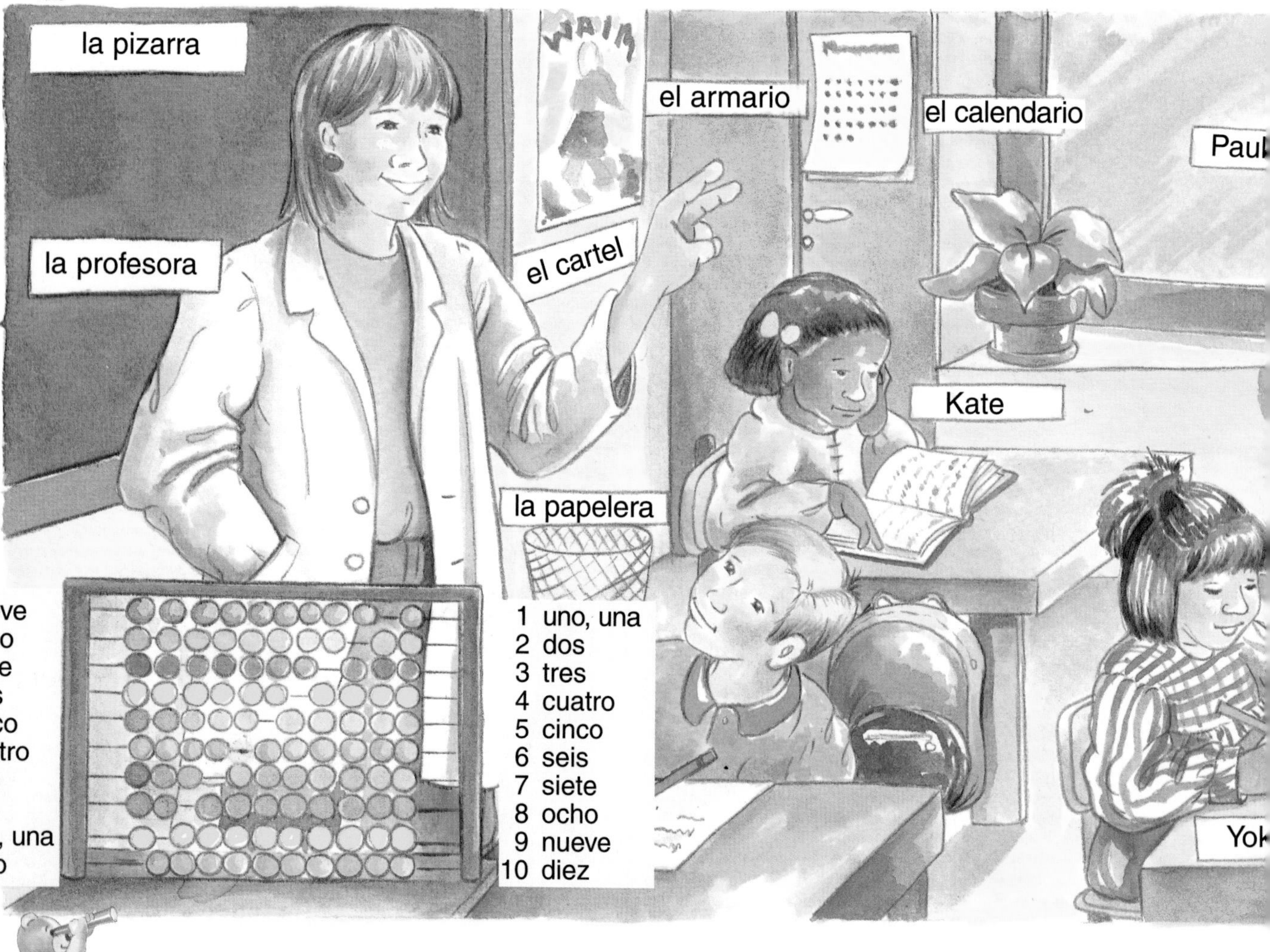

la pizarra
el armario
el calendario
Paul
la profesora
el cartel
Kate
la papelera
Yok
9 nueve
8 ocho
7 siete
6 seis
5 cinco
4 cuatro
3 tres
2 dos
1 uno, una
0 cero
1 uno, una
2 dos
3 tres
4 cuatro
5 cinco
6 seis
7 siete
8 ocho
9 nueve
10 diez

2 Fíjate

En esta clase hay... un perro.
una profesora.
... mesas.
... alumnos.

En mi clase hay...

ventana
la puerta
el mapa
el perchero
Pío-pío
la silla
la mesa
Gluglú
Carlota
la cartera

3 Escucha y habla

¿Qué hay en la clase?
En la clase hay libros.
Hay una apelera?
Sí.

¿Cómo se llama este niño?
Se llama Álvaro.

4 Mira y relaciona

A. está hablando.
B. está comiendo.
C. está abriendo la ventana.
D. está dibujando un perro.
E. está cerrando la puerta.
F. está durmiendo.
G. está escribiendo su nombre.
H. está cantando.
I. está leyendo.

1.E. Ana está cerrando la puerta.

2. ... La profesora...

3. ... Daniel...

4. ... Paulo...

5. ... Yoko...

6. ... El canario...

7. ... El perro...

8. ... La tortuga...

9. ... Kate...

5 Escucha y habla

6 Escucha, mira y lee

7 Pide a tu compañero/a que haga tres cosas

8 Escucha y lee

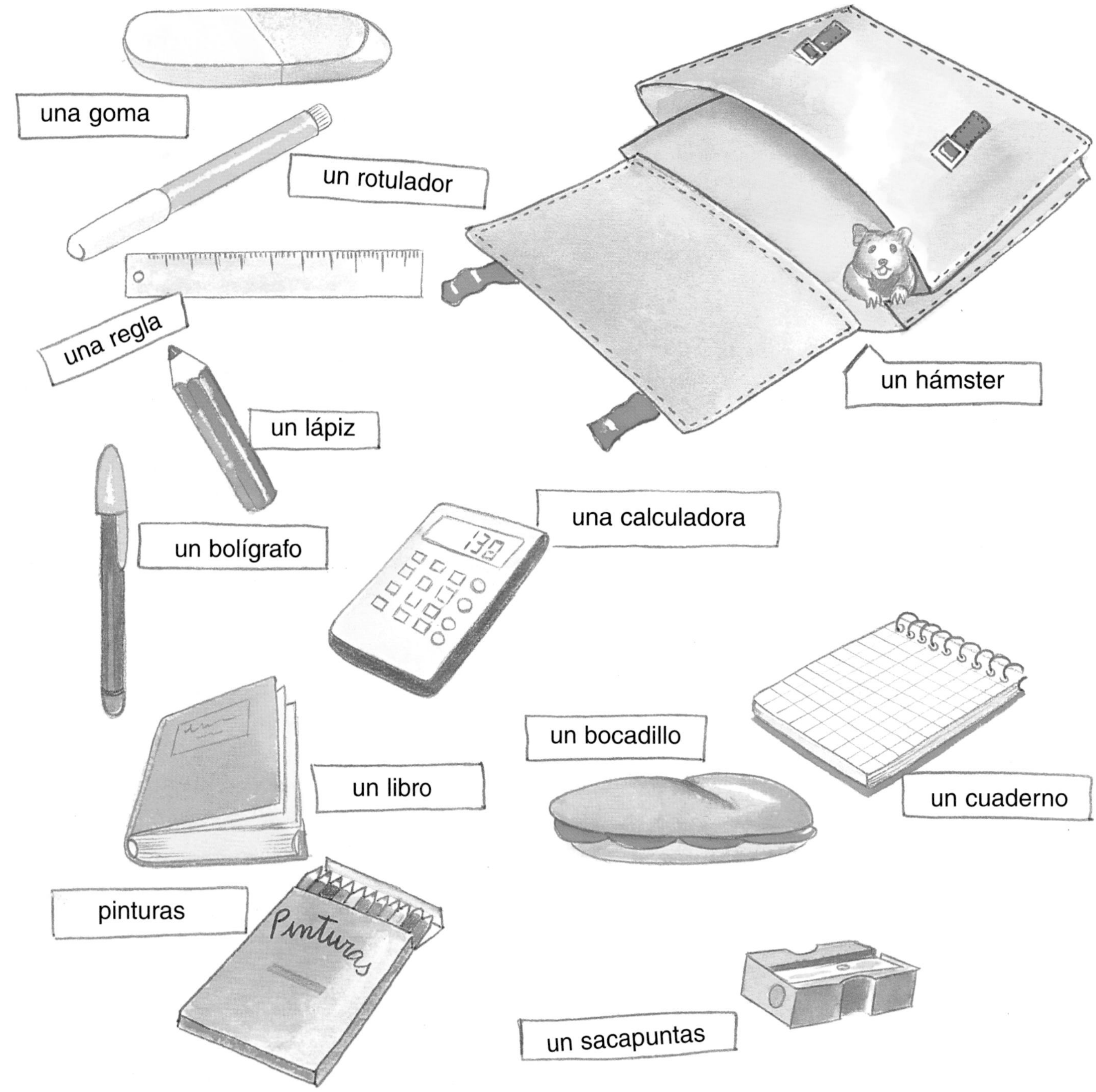
una goma
un rotulador
una regla
un lápiz
un bolígrafo
un hámster
una calculadora
un libro
un bocadillo
un cuaderno
pinturas
Pinturas
un sacapuntas

Escucha y habla

10

Mira y lee

un libro   una regla   un lápiz   un sacapuntas

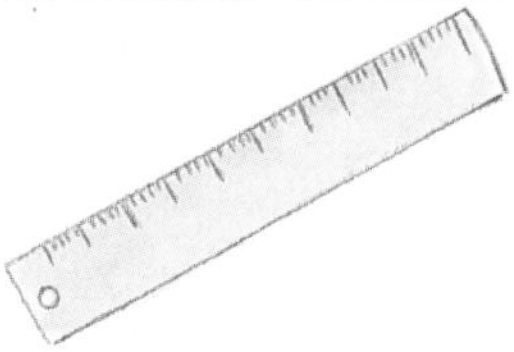

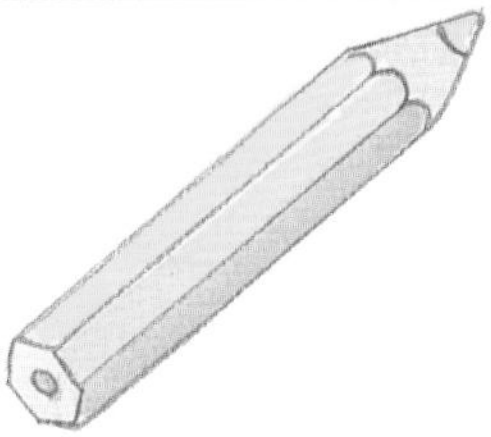

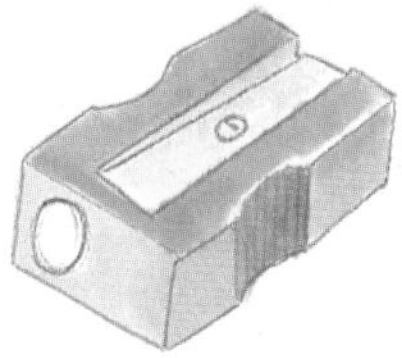

dos libros   dos reglas   dos lápices   dos sacapuntas

 Fíjate

	HABLAR	LEER	ESCRIBIR
yo	hablo	leo	escribo
tú	hablas	lees	escribes
él/ella	habla	lee	escribe
nosotros/nosotras	hablamos	leemos	escribimos
vosotros/vosotras	habláis	leéis	escribís
ellos/ellas	hablan	leen	escriben

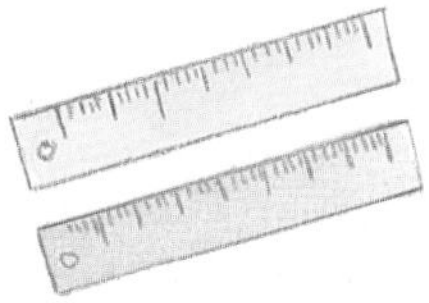

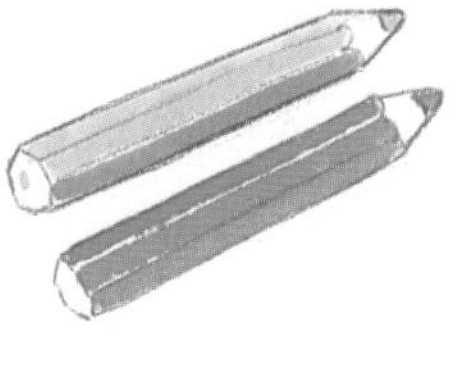

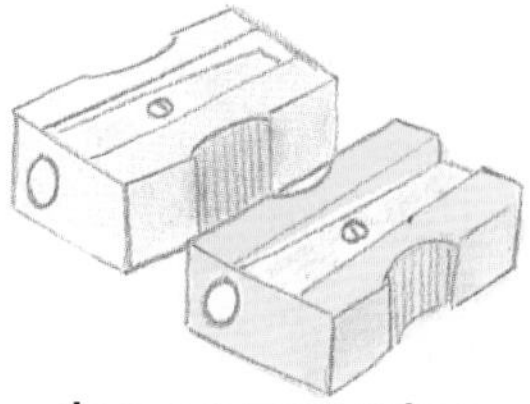

11 Escucha y relaciona

¿Qué haces en el colegio?

A. libros.
B. problemas.
C. cosas.
D. mis amigos y amigas.
E. canciones.
F. mis compañeros.
G. cuentos.
H. cartas.

1.A. Leo...

2. ... Hablo con...

3. ... Escucho...

4. ... Escribo...

5. ... Dibujo...

6. ... Canto...

7. ... Juego con...

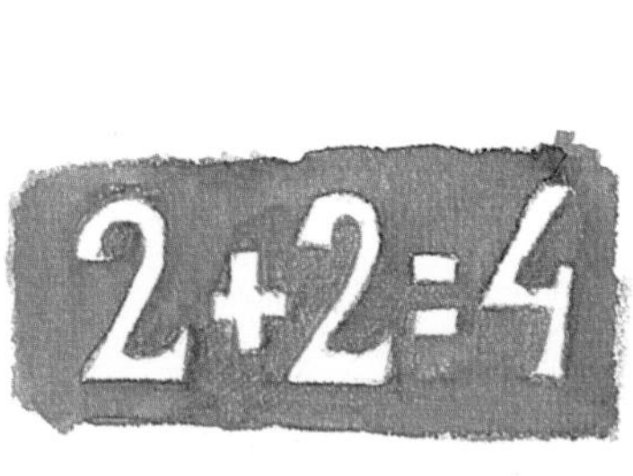

8. ... Resuelvo...

12 Escucha y canta

Agáchate y vuélvete a agachar,
que los agachaditos no saben bailar:
Hache, i, jota, ka, ele, elle, eme, o,
que si tú no me quieres,
otro amigo tengo yo.
Chocolate, molinillo,
corre, corre, que te pillo...

Canción popular

3 Mi casa

1 Escucha, mira y señala con el dedo

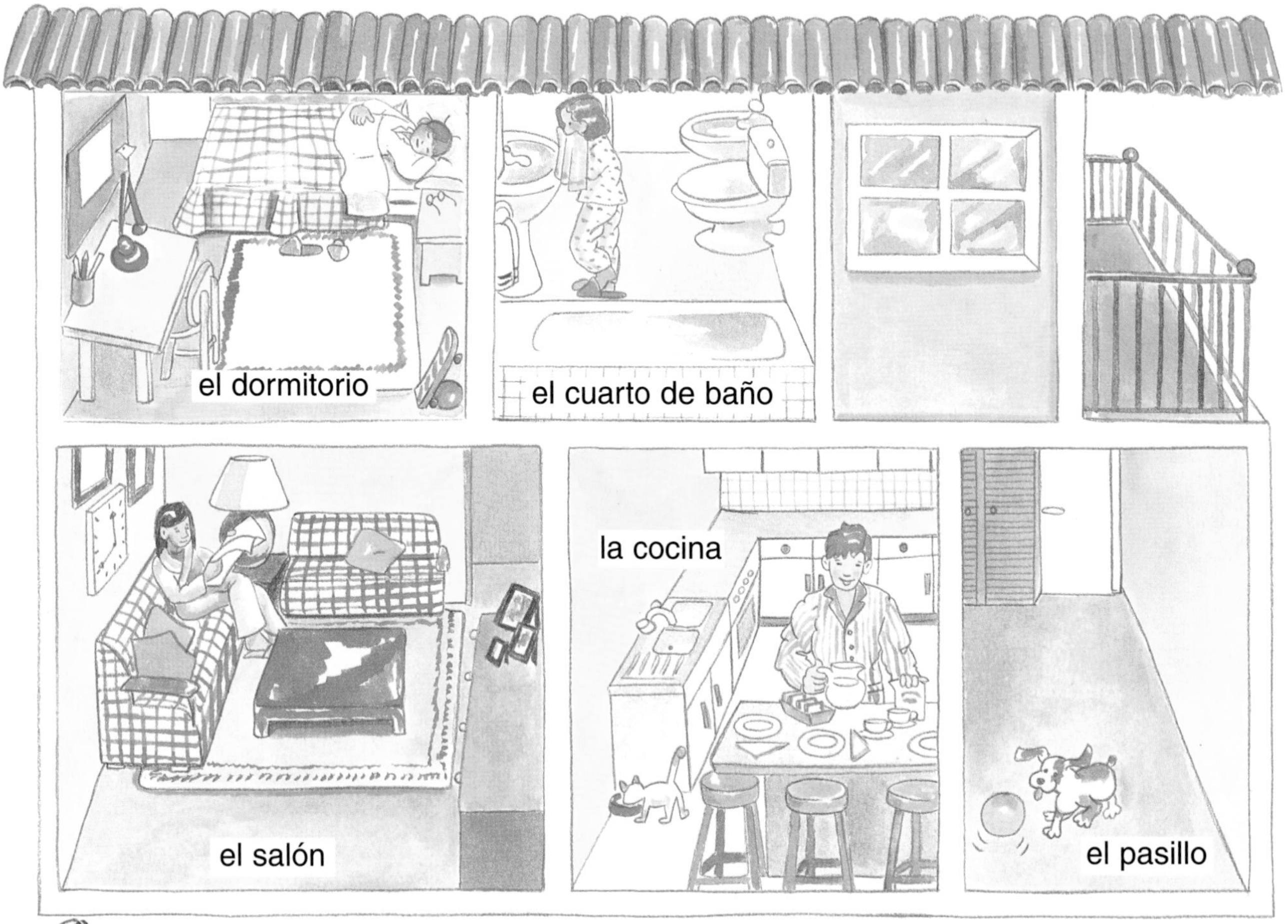

2 Escucha y habla

¿Dónde está Toni?
Está en el dormitorio.

¿Qué está haciendo Ana?
Ana se está lavando.

3

3 Mira y relaciona

1D

2...

3...

4...

5...

6...

A. Está durmiendo. **B.** Está comiendo. **C.** Está jugando.
D. Está lavándose. **E.** Está preparando el desayuno. **F.** Está leyendo.

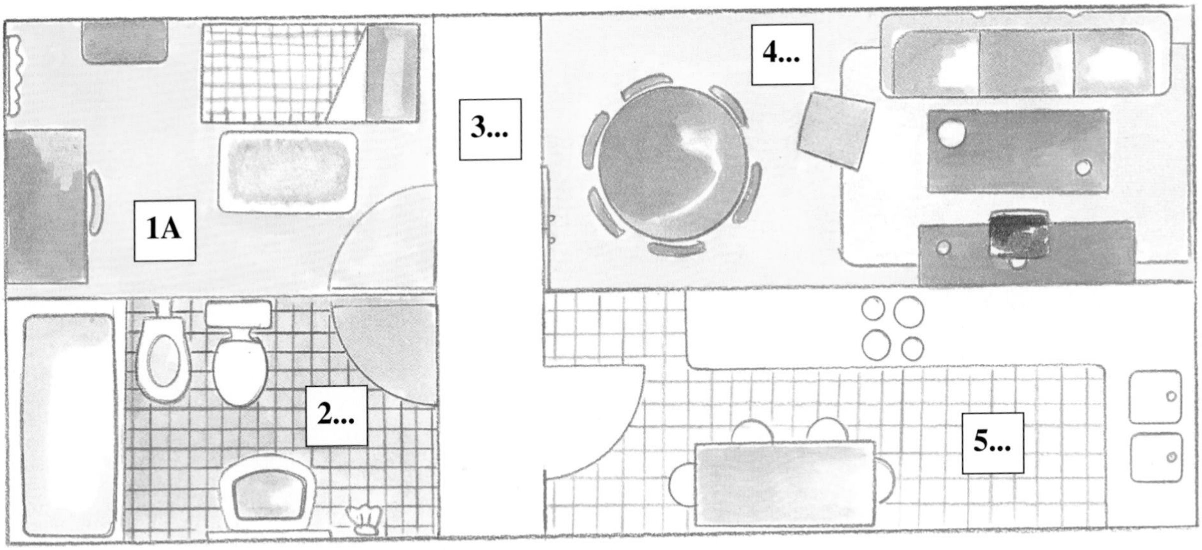

A. Dormitorio. **B.** Pasillo. **C.** Cocina.
D. Cuarto de baño. **E.** Salón.

4 Escucha y ordena. Mira y relaciona

1A

.....

.....

.....

.....

.....

.....

.....

.....

.....

A. Me levanto a las 8 de la mañana.
B. Como en el colegio con mis amigos.
C. Me acuesto a las 10.
D. Desayuno con mi familia.
E. Voy al colegio a las 9.
F. Ceno a las 9 de la noche.
G. Me lavo y me peino.
H. Veo la televisión durante una hora.
I. Vuelvo a casa a las cinco de la tarde.
J. Hago los deberes cuando llego a casa.

5 Fíjate

¿Qué hora es?

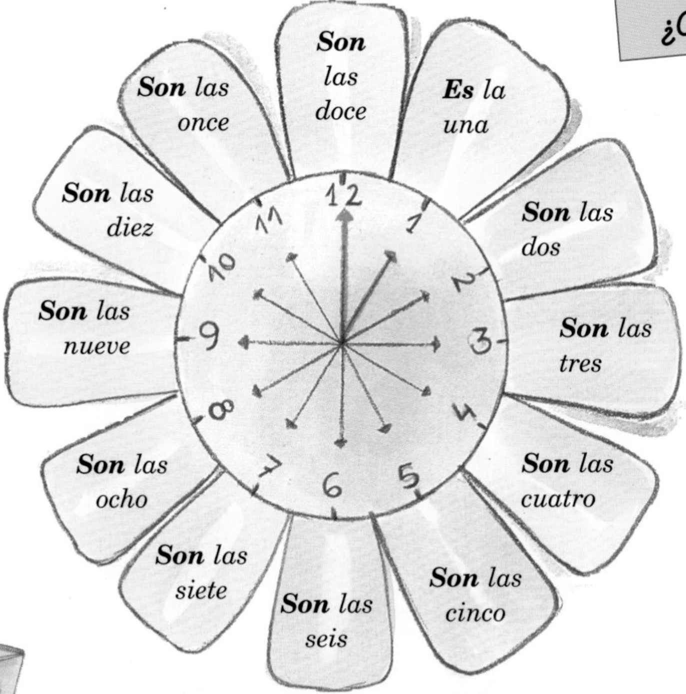

– ¿A qué hora te levantas?
– Me levanto **a las** ocho.

6 Lee

-A la una anda la mula.
-A las dos suena el reloj.
-A las tres come el marqués.
-A las cuatro come el gato.
-A las cinco viene Jacinto.
-A las seis cuento al revés.
Seis, cinco, cuatro y tres.

7 Escucha y habla

¿A qué hora desayunas?

¿A qué hora comes?

¿A qué hora cenas?

¿A qué hora te acuestas?

8 Mira y lee

Esta es la habitación de Ana

1. la cama
2. el armario
3. la silla
4. la mesa
5. el espejo
6. los muñecos de peluche
7. los carteles
8. los libros
9. los discos compactos
10. la raqueta de tenis
11. la guitarra

¡Hola!
Me llamo Ana. Tengo ocho años. Tengo un hermano que se llama Toni. Me gusta escuchar música, leer libros y ver la televisión. También me gusta tocar la guitarra y escribir cartas a mis amigos. No me gusta levantarme temprano ni estudiar demasiado.

Mi dirección es:

Ana Sánchez
Calle Galileo, 9
28015 - MADRID
¡Escribidme pronto! ¡Adiós!

Ana

9 Habla. Adivina qué hay en la habitación de tu compañero/a

¿Hay una cama?
No.

¿Hay libros?
Sí.

10 Habla. Adivina qué le gusta hacer a tu compañero/a

¿Te gusta ver la televisión?
Sí, me gusta.

¿Te gusta jugar al fútbol?
No, no me gusta.

11 Escucha y canta

- ¿Dónde están las llaves?,
matarile, rile, rile;
¿dónde están las llaves?,
matarile, rile, ron.

- En el fondo del mar,
matarile, rile, rile;
en el fondo del mar,
matarile, rile, ron.

¿Quién irá a buscarlas?,
matarile, rile, rile;
¿quién irá a buscarlas?,
matarile, rile, ron.

- Irá Ana, irá Ana,
matarile, rile, rile;
irá Ana, irá Ana,
matarile, rile, ron.

- ¿Dónde están las llaves?,
matarile, rile, rile;
¿dónde están las llaves?,
matarile, rile, ron.

- En el fondo del mar,
matarile, rile, rile;
en el fondo del mar,
matarile, rile, ron.

¿Quién irá a buscarlas?,
matarile, rile, rile;
¿quién irá a buscarlas?,
matarile, rile, ron.

- Irá Paulo, irá Paulo,
matarile, rile, rile;
irá Paulo, irá Paulo,
matarile, rile, ron.

- ¿Dónde están las llaves?...

Canción popular

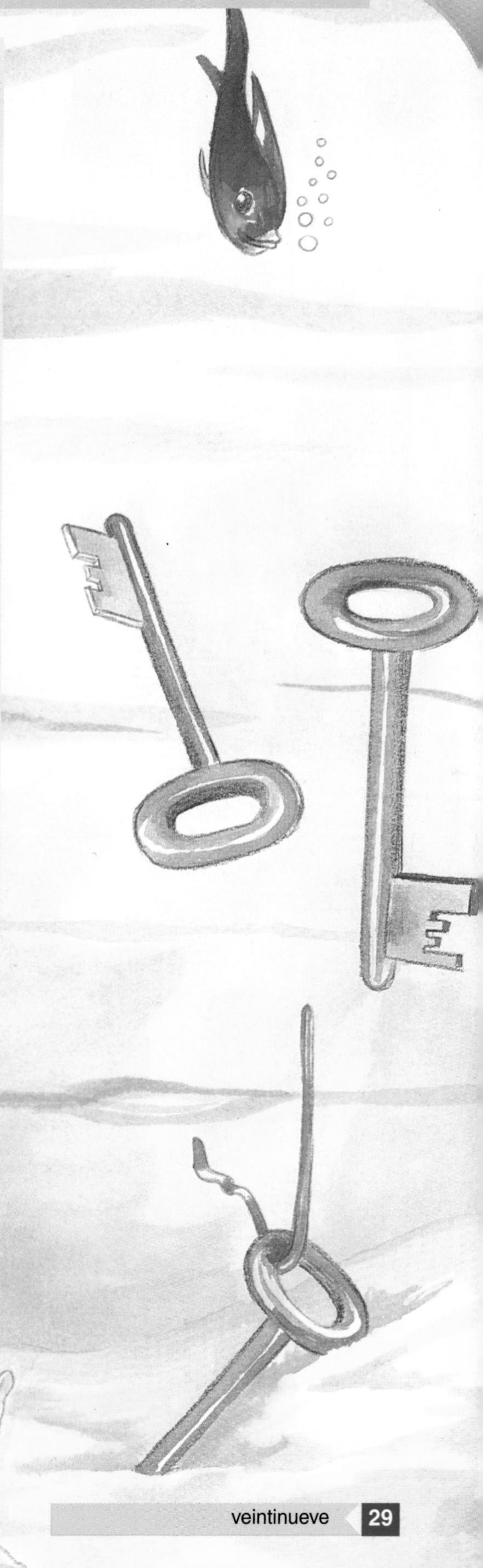

Revisión 1-3

1 Escucha y juega

juego del "Veo, veo"

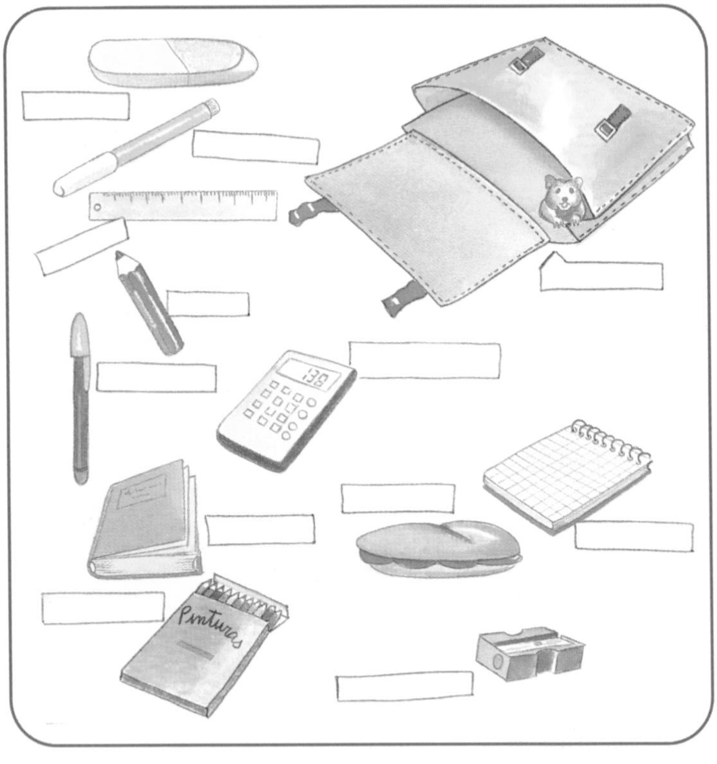

2 Juega al juego de las peticiones

Si no sabes hacer algo de lo que te piden, pregunta a tu compañero/a o a tu profesor/a y retrocede tres casillas.

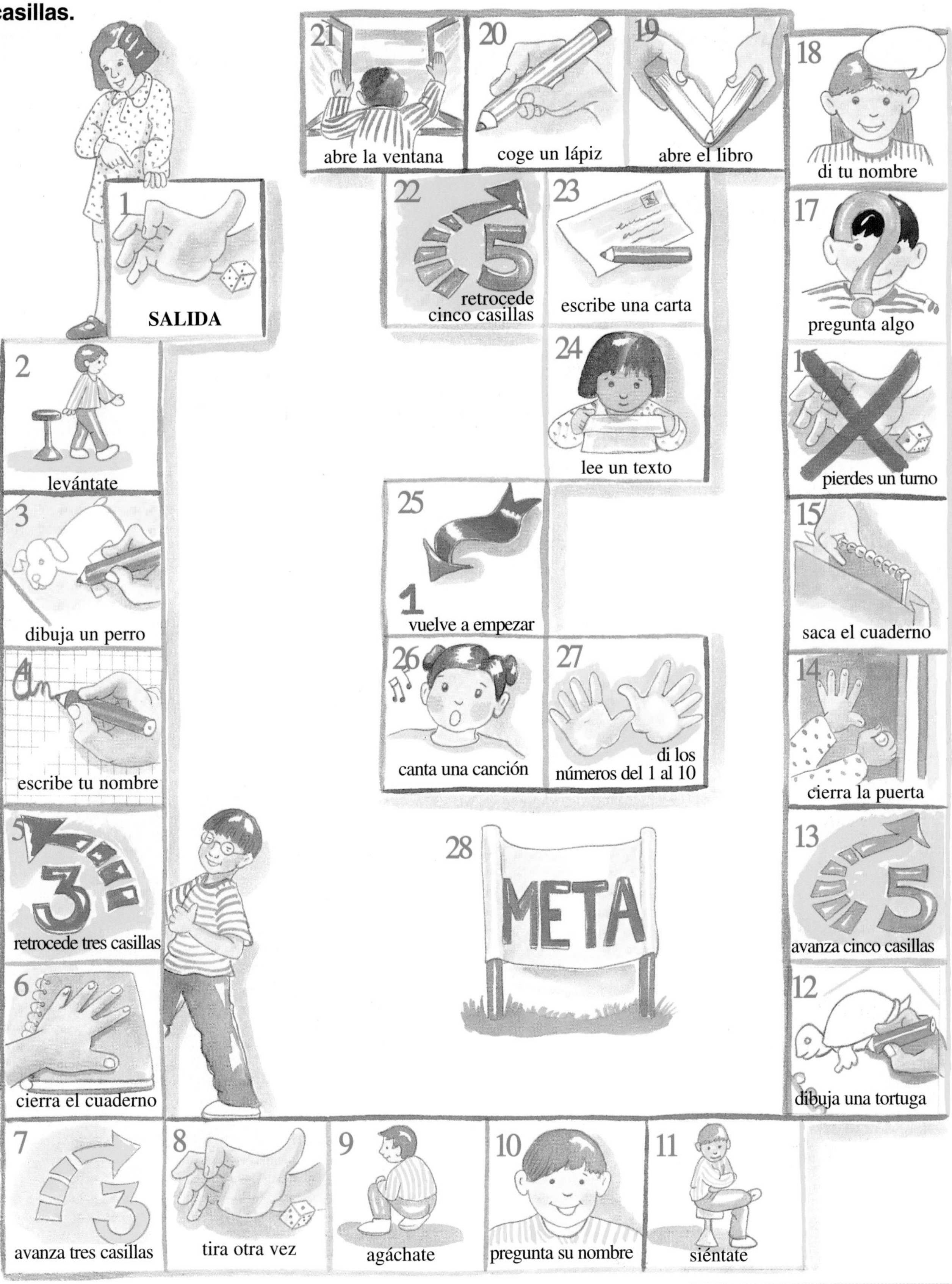

3 Juega al "Preguntón"

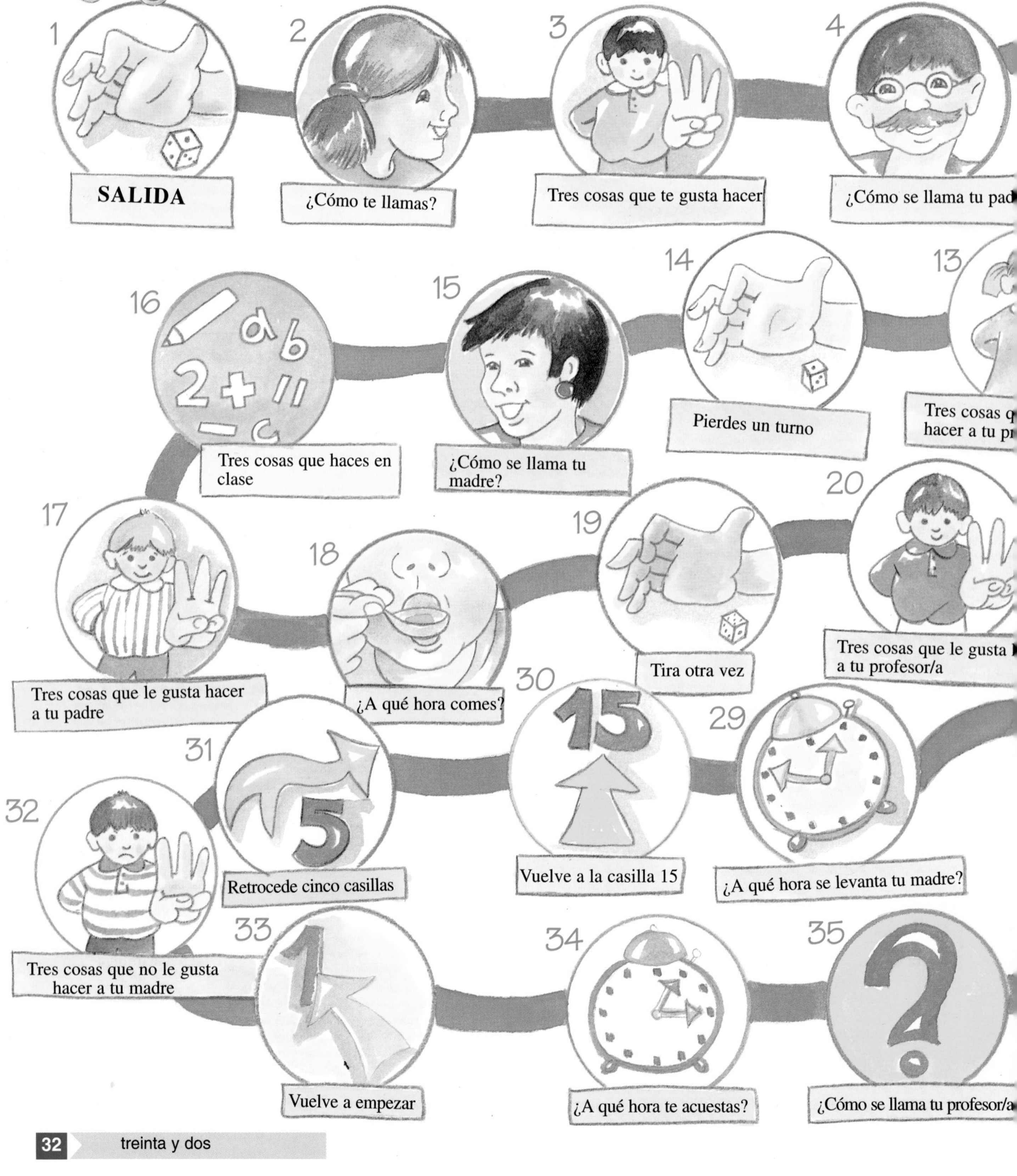

1 SALIDA
2 ¿Cómo te llamas?
3 Tres cosas que te gusta hacer
4 ¿Cómo se llama tu pad
13 Tres cosas q
hacer a tu pr
14 Pierdes un turno
15 ¿Cómo se llama tu madre?
16 Tres cosas que haces en clase
17 Tres cosas que le gusta hacer a tu padre
18 ¿A qué hora comes?
19 Tira otra vez
20 Tres cosas que le gusta
a tu profesor/a
29 ¿A qué hora se levanta tu madre?
30 Vuelve a la casilla 15
31 Retrocede cinco casillas
32 Tres cosas que no le gusta hacer a tu madre
33 Vuelve a empezar
34 ¿A qué hora te acuestas?
35 ¿Cómo se llama tu profesor/a

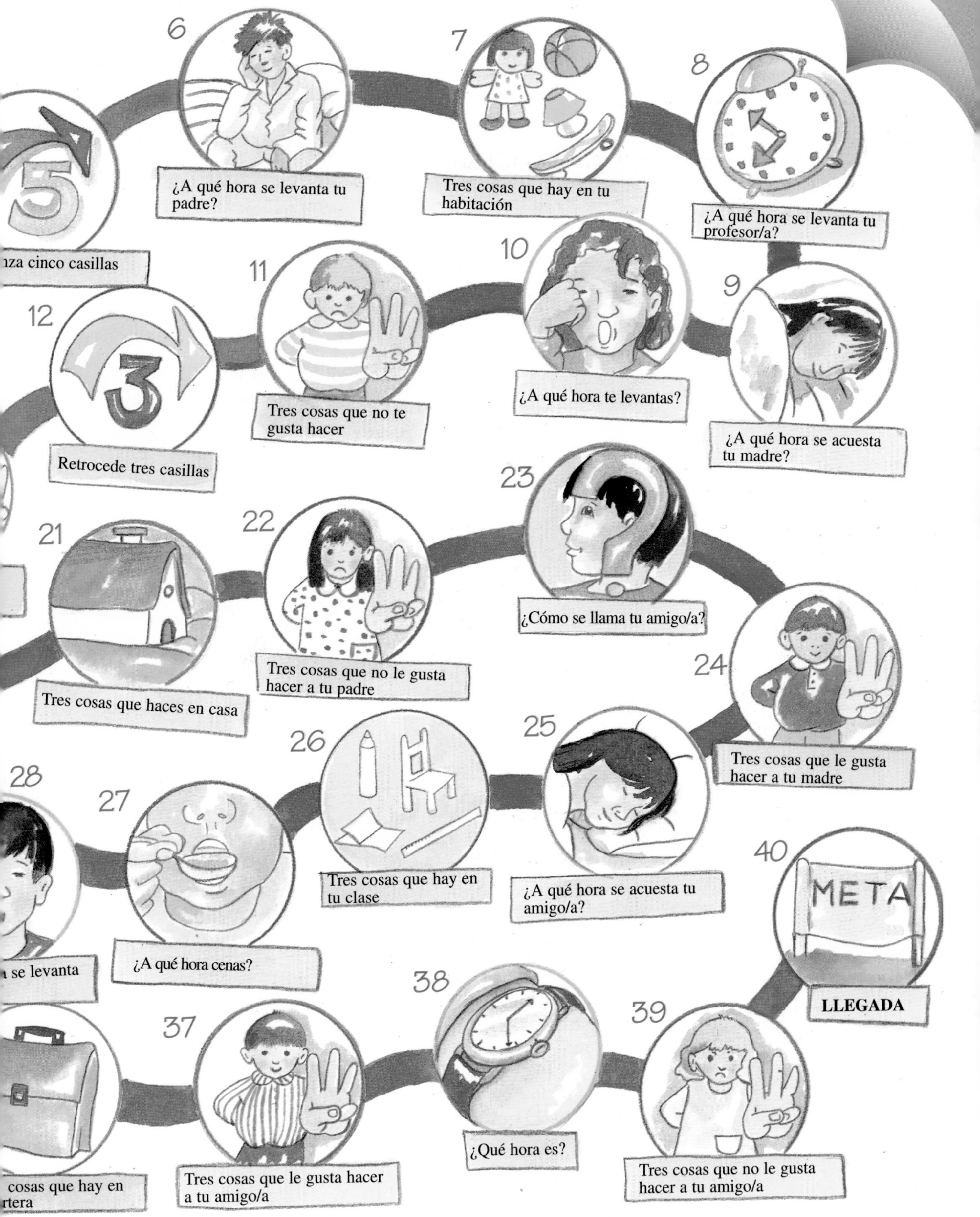

6 — ¿A qué hora se levanta tu padre?

7 — Tres cosas que hay en tu habitación

8 — ¿A qué hora se levanta tu profesor/a?

...nza cinco casillas

11 — Tres cosas que no te gusta hacer

10 — ¿A qué hora te levantas?

9 — ¿A qué hora se acuesta tu madre?

12 — Retrocede tres casillas

21 — Tres cosas que haces en casa

22 — Tres cosas que no le gusta hacer a tu padre

23 — ¿Cómo se llama tu amigo/a?

24 — Tres cosas que le gusta hacer a tu madre

25 — ¿A qué hora se acuesta tu amigo/a?

26 — Tres cosas que hay en tu clase

28

27 — ¿A qué hora cenas?

...a se levanta

37 — Tres cosas que le gusta hacer a tu amigo/a

38 — ¿Qué hora es?

39 — Tres cosas que no le gusta hacer a tu amigo/a

40 — META — LLEGADA

...cosas que hay en ...rtera

Mi cuerpo

1 Escucha y señala con el dedo

2 Mira y lee

3 Observa

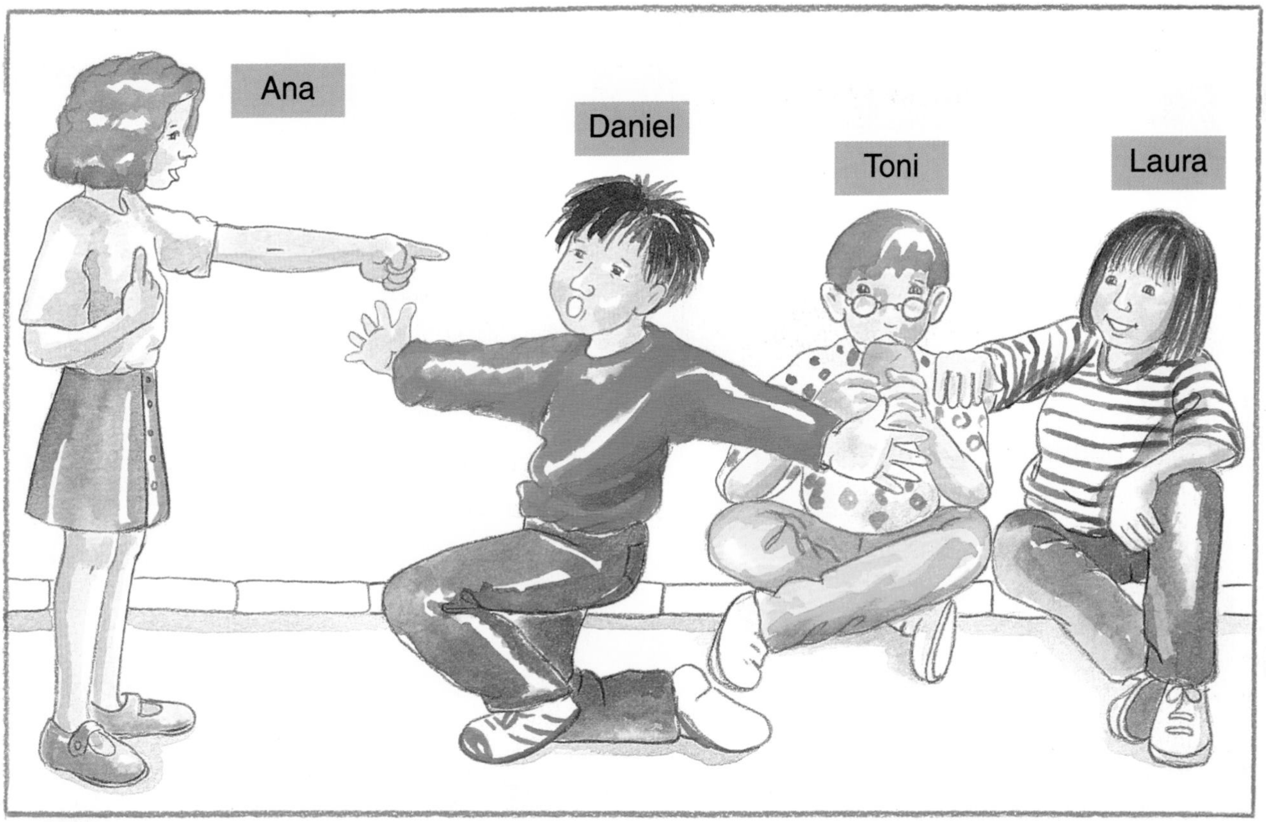

Ana

Daniel

Toni

Laura

4 Habla

Es el .... de ....

Es la .... de ....

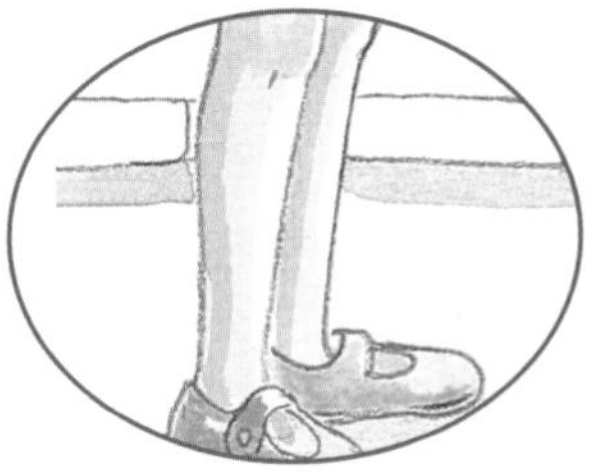

Son las piernas de Ana.

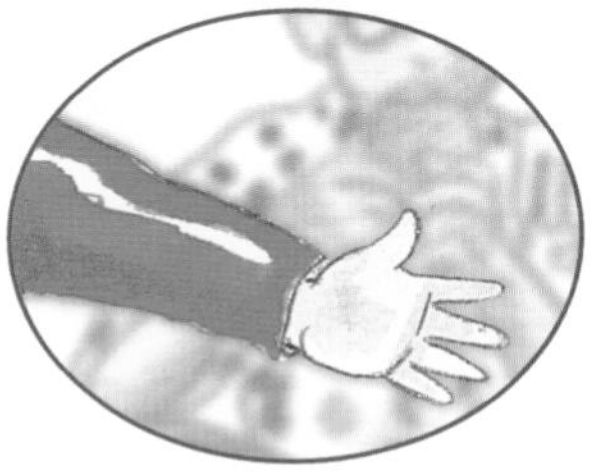

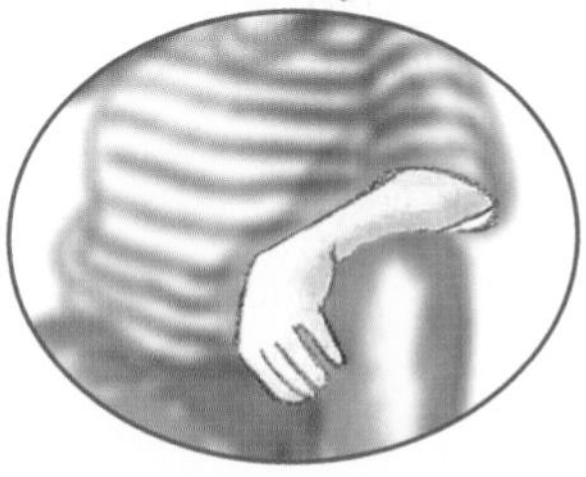

Es la .... de ....

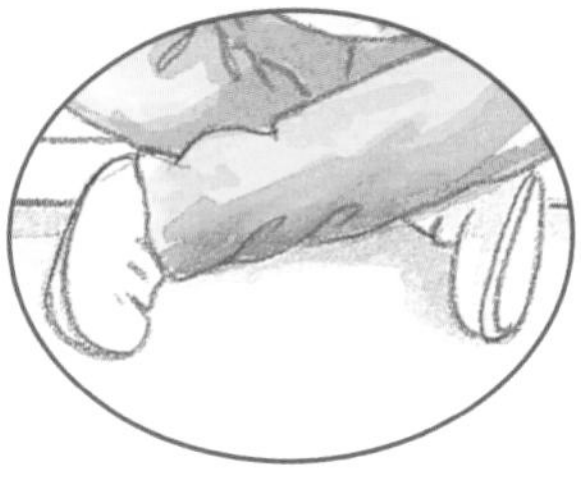

Son los .... de ....

5 Escucha y mira

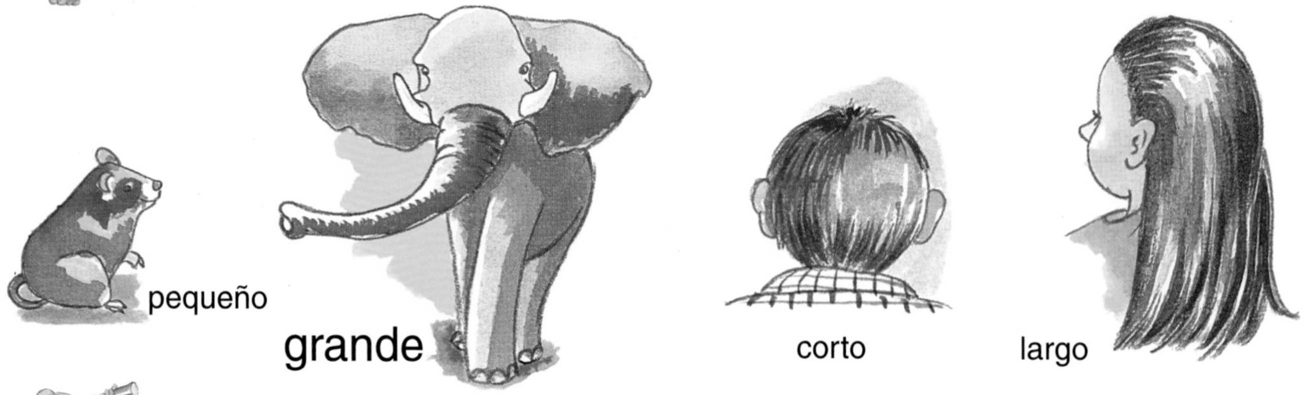

6 Mira y relaciona

A. un libro pequeño
B. un libro grande
C. un cuello largo
D. un cuello corto

1C. un cuello largo.

2. ....

3. ....

4. ....

A. ojos marrones ✔
B. ojos azules ✔
C. ojos verdes ✔
D. ojos negros ✔

1A. ojos marrones

2. ....

3. ....

4. ....

7 Escucha y lee

La nariz **es** grande.

El cuello **es** corto.

Las piernas **son** largas.

Los pies **son** grandes.

8 Mira y habla

A

Tiene...
la nariz grande,
el cuello largo,
los brazos largos,
los pies pequeños.

B

Tiene...
....
las manos grandes,
las piernas largas,
....

C

Tiene...
....
....
....
el cuello corto.

9 Mira y lee

El pelo

Elena es rubi**a**.

Alf es rubi**o**.

Noelia es moren**a**.

João es moren**o**.

Katy es pelirroj**a**.

Luis es pelirroj**o**.

10 Lee y habla

¿Cómo es João?
Es moreno. Tiene el pelo corto.

¿Cómo es Katy?
Es pelirroja. Tiene el pelo...

11 Escucha y señala con el dedo

A B C

12 Mira y habla

¿Quién es?

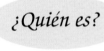

Es pelirroja.
Tiene el pelo largo.
Tiene los ojos
grandes y negros.

13 Escucha y canta

Cierro un ojo. Cierro los dos,
con la boca canto esta canción.

Abro los ojos de una vez
y ahora empiezo otra vez.

Cierro una mano. Cierro las dos,
con la boca canto esta canción.

Abro las manos de una vez
y ahora empiezo otra vez.

Cierro una oreja. Cierro las dos,
con la boca canto esta canción.

Abro las orejas de una vez
y NO empiezo otra vez.

Canción popular

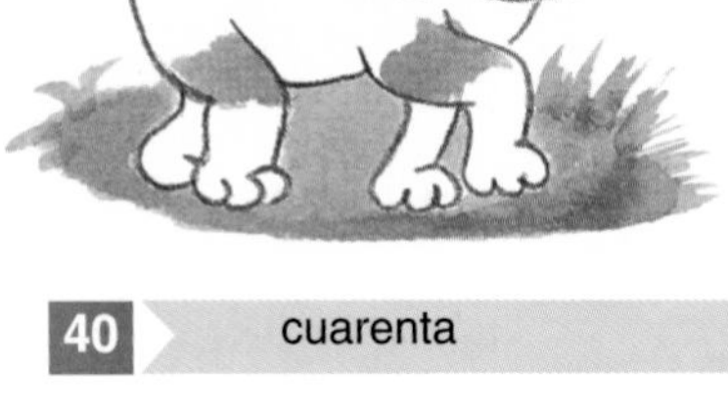

14 Juega con tus amigos

¿Cómo es? ¿Cómo son?

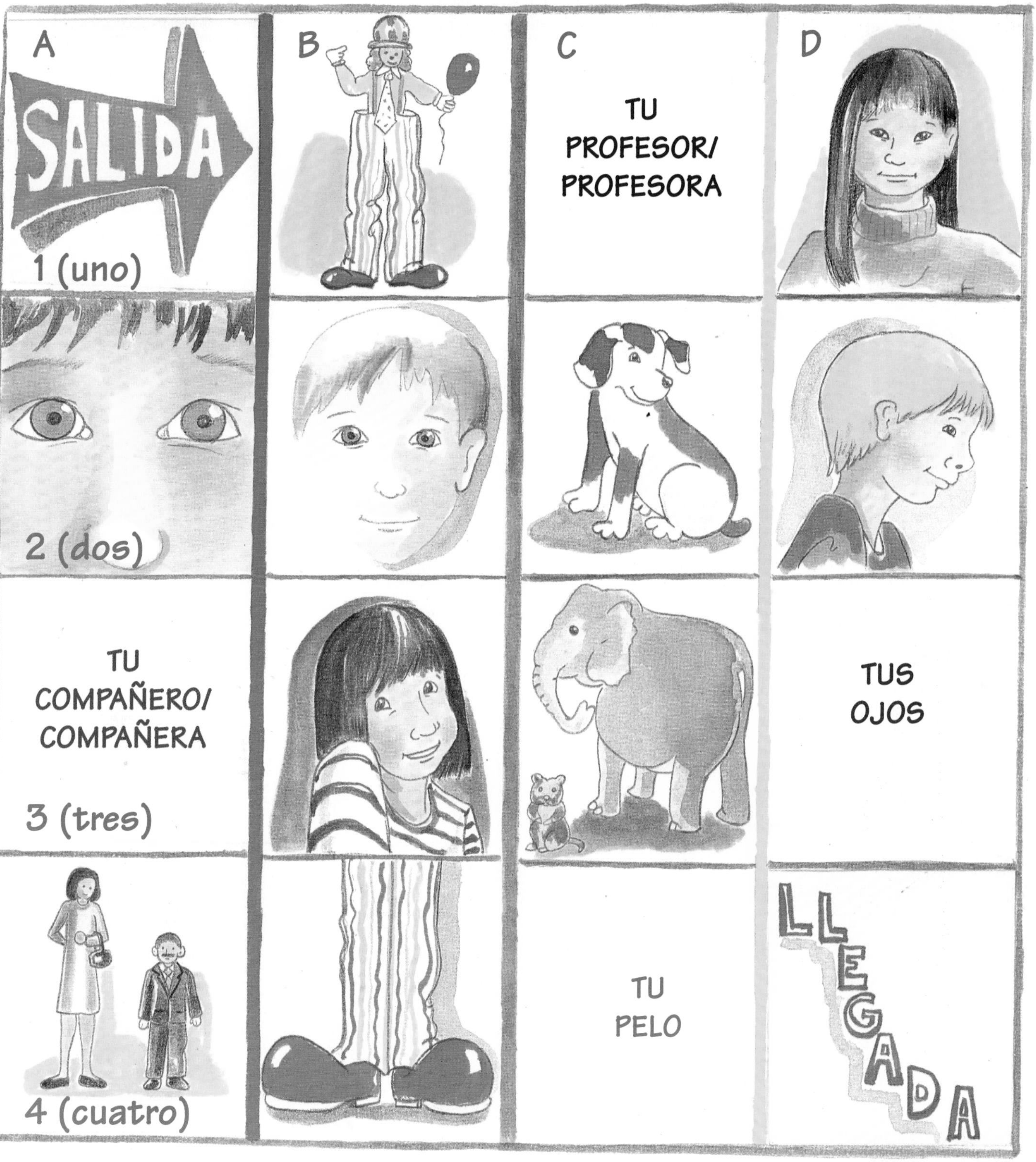
A
B
C
D
SALIDA
1 (uno)
TU PROFESOR/ PROFESORA
2 (dos)
3 (tres)
TU COMPAÑERO/ COMPAÑERA
TUS OJOS
4 (cuatro)
TU PELO
LLEGADA

Ejemplo: **2B.** *Son unos ojos azules y pequeños.*

6 Mi ropa

1 Escucha y lee

2 Mira y lee

3 Lee y habla

¿Qué ropa llevas tú?
Una camisa y un pantalón.

¿Y tú?
Yo llevo una camiseta y, también, un pantalón.

4 Mira y lee

negro

blanco

rojo

verde

amarillo

5 Escucha y señala

	V	F
A.	☐	☑
B.	☐	☐
C.	☐	☐
D.	☐	☐
E.	☐	☐

6 Mira y relaciona

1e

2...

4...

3...

5...

6...

a

camisa

b

zapatos

c

falda

gafas

d

calcetines

vestido

e

f

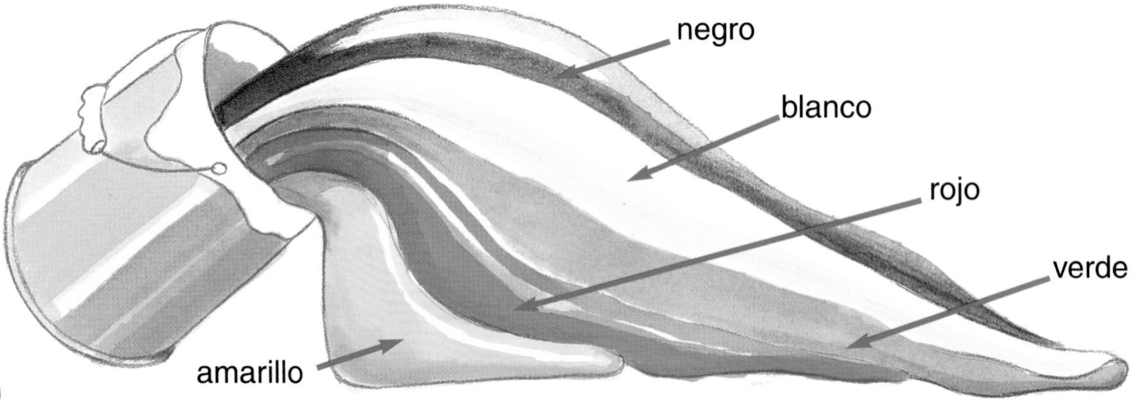

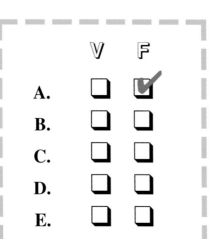

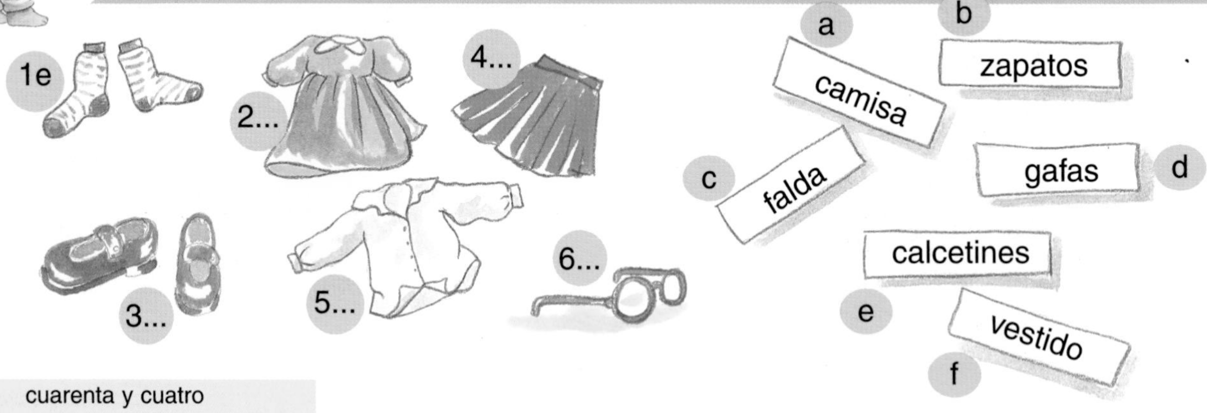

7 Mira y habla

Hace calor

Hace frío

¿Hace frío o hace calor?

Hace frío

....

....

....

....

8 Mira y lee

El cielo

El sol

La luna

Las estrellas

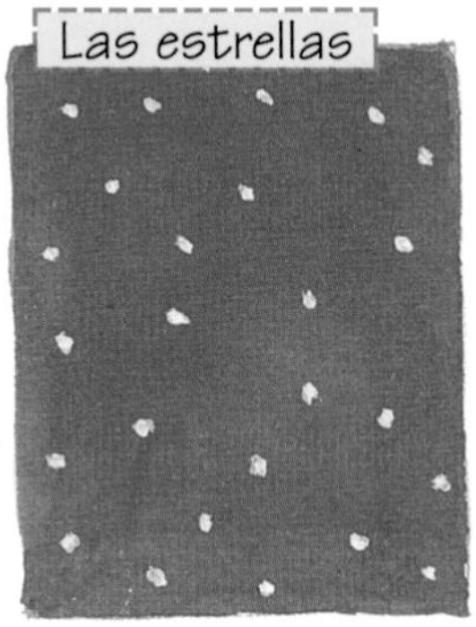

Las nubes

Llueve

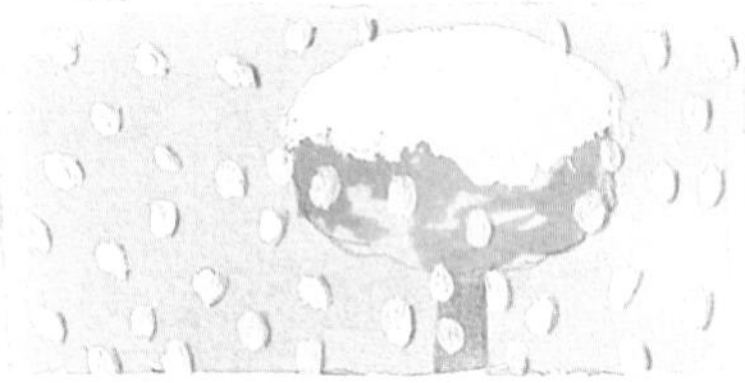

Nieva

Hace viento

9 Escucha y lee

A

Hoy hace calor.
El brilla en el
. No hay
y no . Los
están en el COLEGIO .

B

Hoy hace frío.
No hay . En el
hay muchas
Hoy y
los niños están
en casa.

10 Mira y lee

Este verano
voy de vacaciones a la
playa.

Fíjate

	IR A
yo	voy
tú	vas
él/ella	va
nosotros/nosotras	vamos
vosotros/vosotras	vais
ellos/ellas	van

Laura va de vacaciones a la **montaña**.

Daniel va de vacaciones a un **campamento.**

Ana va de vacaciones a un **pueblo.**

11 Lee y habla

¿Adónde vas de vacaciones?
Yo voy a la montaña.
CRUISING & SAILING

¿Y tú?
Yo voy a la playa.

12 Escucha y canta

Que llueve, que llueve,
la lluvia ya viene.
Los pajaritos cantan,
las nubes se levantan,
que SÍ, que NO,

que cae un chaparrón.

Que nieva, que nieva,
la nieve ya llega.

Los pajaritos cantan,
las nubes se levantan,
que SÍ, que NO,

que nieva un montón.

Canción popular (adaptada)

13 Juega con tus amigos

Cosas que sé hacer

1 Escucha y lee

En el colegio hay una fiesta y los niños y niñas actúan en ella. La profesora les pregunta: Y tú, ¿qué sabes hacer?

2 Lee y habla

3 Mira y lee

Yo **sé** hacer magia.
Daniel **sabe** hacer magia.

Fíjate

SABER

yo	sé
tú	sabes
él/ella	sabe
nosotros/nosotras	sabemos
vosotros/vosotras	sabéis
ellos/ellas	saben

4 Mira y habla

¿Qué sabes hacer tú?
¿Sabes nadar?

nadar

montar en bici

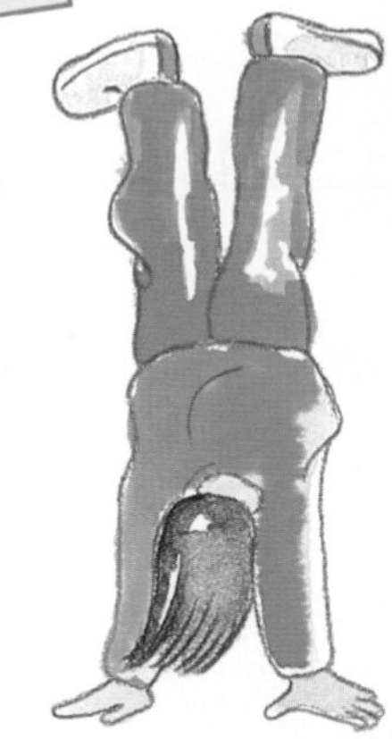

hacer el pino

dibujar

contar hasta diez

tocar la guitarra

5 Mira y di qué hace Ana

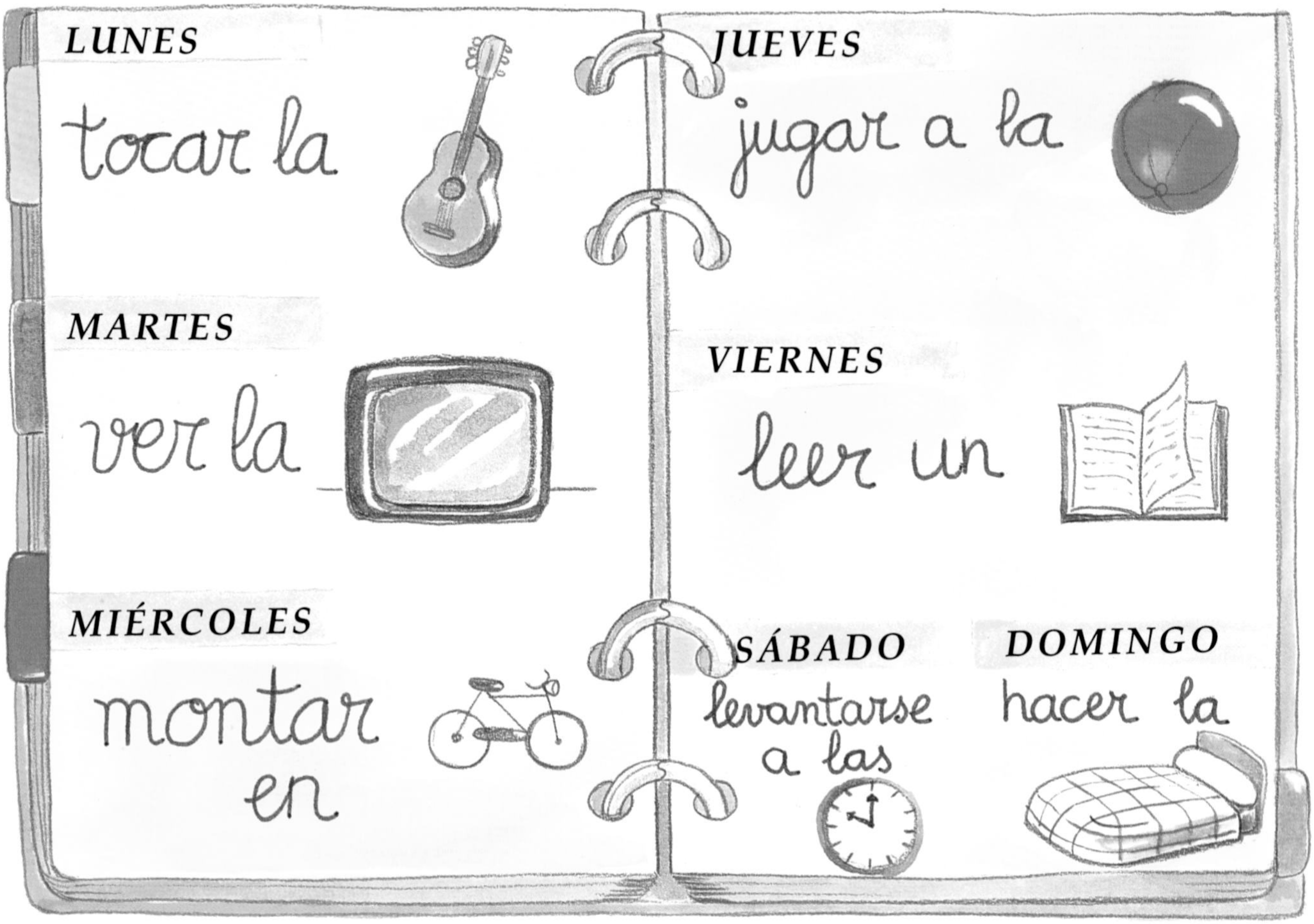
LUNES
tocar la
MARTES
ver la
MIÉRCOLES
montar en
JUEVES
jugar a la
VIERNES
leer un
SÁBADO
levantarse a las
DOMINGO
hacer la

6 Habla

¿Qué haces tú?

El lunes ....
El martes ....
El miércoles ....
El jueves ....
El viernes ....
El sábado ....
El domingo ....

7 Mira y lee

contento contenta triste triste

8 Lee y habla

El búho sabe volar.
Está contento.

El búho no sabe hablar español.
Está triste.

Mi hermano sabe...................... Está.................

Mis padres saben .... Están...................

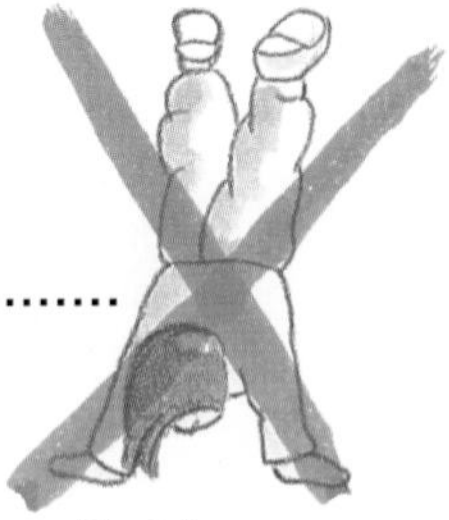

Mi amiga no sabe........................ Está....................

Toni sabe...................... Está....................

Laura no sabe..................... Está.................

9 Escucha y observa

Yo sé cantar.
Tú sabes bailar.
Vosotros sabéis hacer magia y tocar la guitarra.

10 Escucha y relaciona

A

Yo sé tocar la guitarra.
Tú sabes bailar.
Vosotros sabéis cantar y hacer magia.

B

Yo sé bailar.
Tú sabes cantar.
Vosotros sabéis hacer magia y tocar la guitarra.

11 Escucha y lee

Soy el farolero
de la Puerta del Sol,
cojo mi escalera
y enciendo el farol.

Cuando está encendido
me pongo a contar,
y siempre me sale
la cuenta cabal.

Dos y dos son cuatro,
cuatro y dos son seis,
seis y dos son ocho
y ocho dieciséis
y ocho veinticuatro
y ocho treinta y dos.
Soy el farolero
de la Puerta del Sol.

Canción popular

12 Juega con tus amigos

Este es el juego de las acciones del día. Si caes en una casilla de PARA, tira tu compañero. Si caes en una casilla de CONTINÚA, sigues tirando. Haz una ficha para jugar con estas dos caras.

PARA

CONTINÚA

Estás en la clase de español. Tienes que estudiar.

EN LA CLASE DE ESPAÑOL

Es la hora del recreo. Continúa hasta el patio del colegio para jugar a la pelota.

Son las 7. Estás durmiendo en la cama.

POR LA MAÑANA

Son las 9. Tienes que ir al colegio. Continúa hasta la clase de español.

Estás viendo la tele.

EN CASA

Es la hora de la cena. ¡A cenar!

ı las 11.30. Estás jugando
ı pelota.

ATIO DEL COLEGIO

ı del recreo! Continúa hasta el gimnasio.

Son las 12. Tienes que hacer el pino.

EN EL GIMNASIO

No sabes hacer el pino y vuelves a estudiar a la clase de español.

No te gusta la cena.

LA CENA

Te gusta mucho la cena. Continúa hasta el FIN.

FIN ¡A dormir!

Son las 5. Tienes que hacer los deberes.

POR LA TARDE

¡A la piscina!

Son las seis. Es la hora de nadar con tus amigos.

EN LA PISCINA

Son las siete. Ahora continúa hasta casa.

Revisión 5-7

1 Mira el dibujo ¿Recuerdas los nombres?

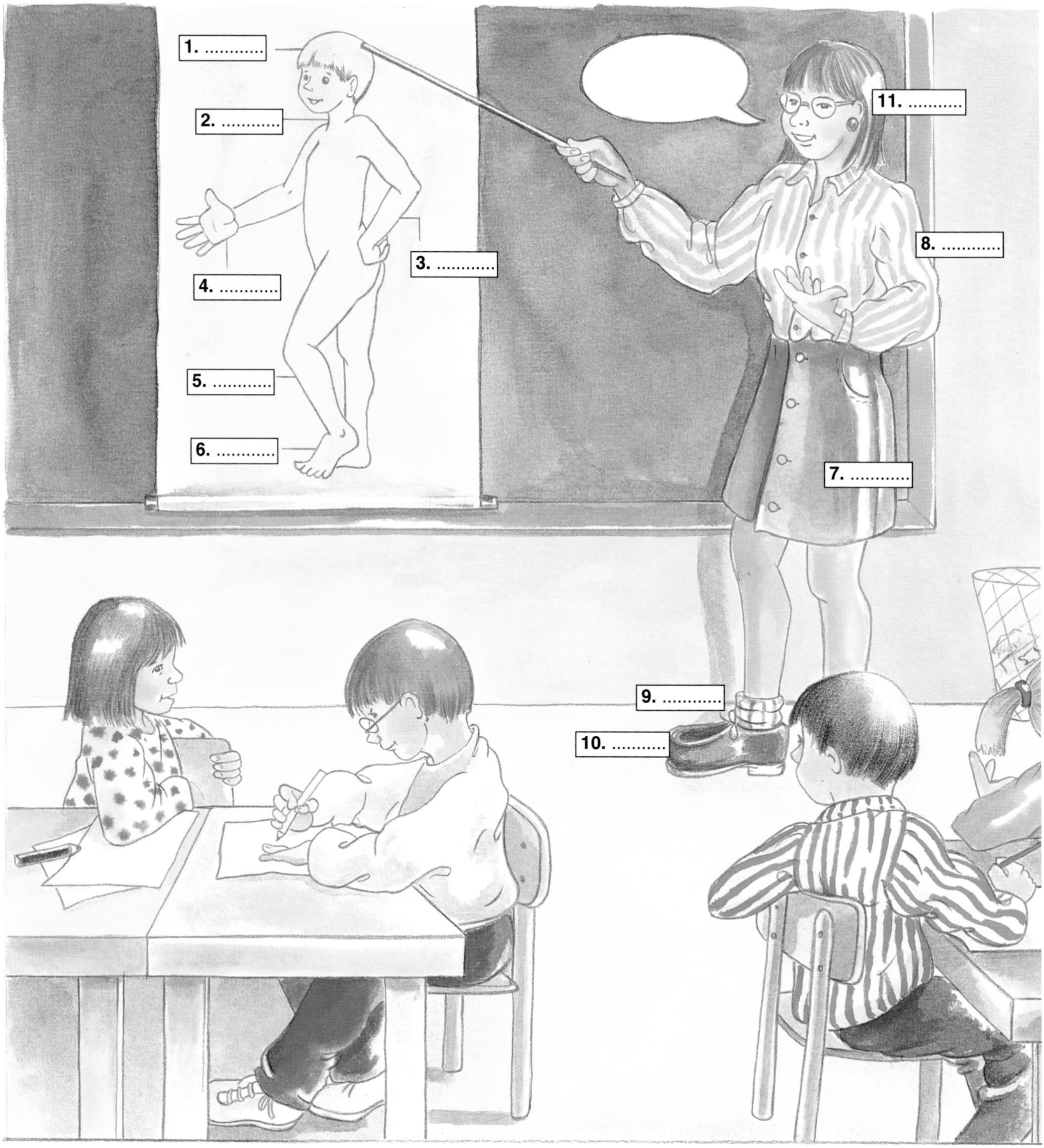

2 Relaciona

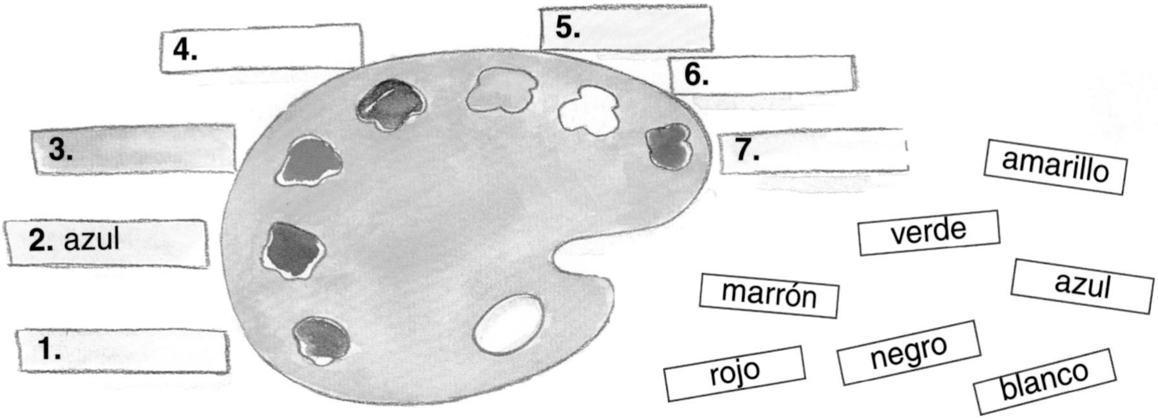

3 Di los nombres

4 Habla. ¿Cómo son los padres de Toni?

Es moreno.
Tiene el pelo ....
Tiene los ojos ....

Y... ¿cómo es tu compañero/a?

Es morena.
Tiene el pelo .... y
....
Tiene los ojos ....

5 Habla con tu compañero/a

¿Qué cosas ves en el cielo por el día?

....
....
....
....
....
....

¿Y por la noche?

....
....
....

6 Lee el texto y cambia los dibujos por las palabras correspondientes

Hoy hace frío.
No hay . En el
hay muchas
Hoy y
los niños están
en casa.

Cosas que sé y no sé hacer

Si no lo sabes hacer, retrocede dos casillas.

1. Nadar

2. Hacer la cama

3. Preparar una tarta

4. Hacer el pino

5. Correr

6. Montar en bici

7. Cantar

8. Hacer magia

9. Tocar la guitarra

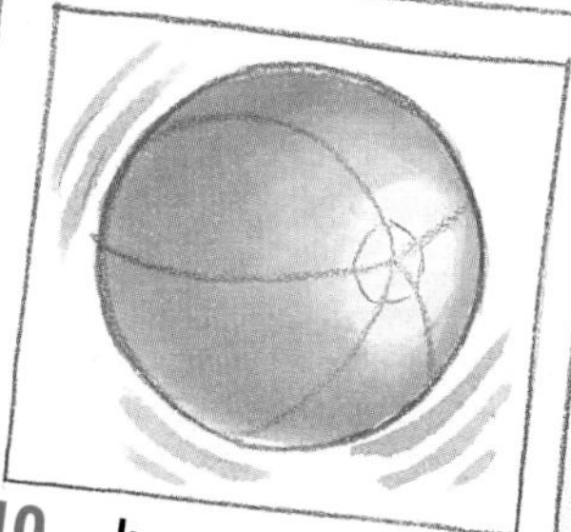
10. Jugar a la pelota

11. Ladrar

12. Dibujar

13. Conducir un coche

14. El verbo saber

9

Mis juguetes

1 Escucha y mira el dibujo siguiente

2 Mira y lee

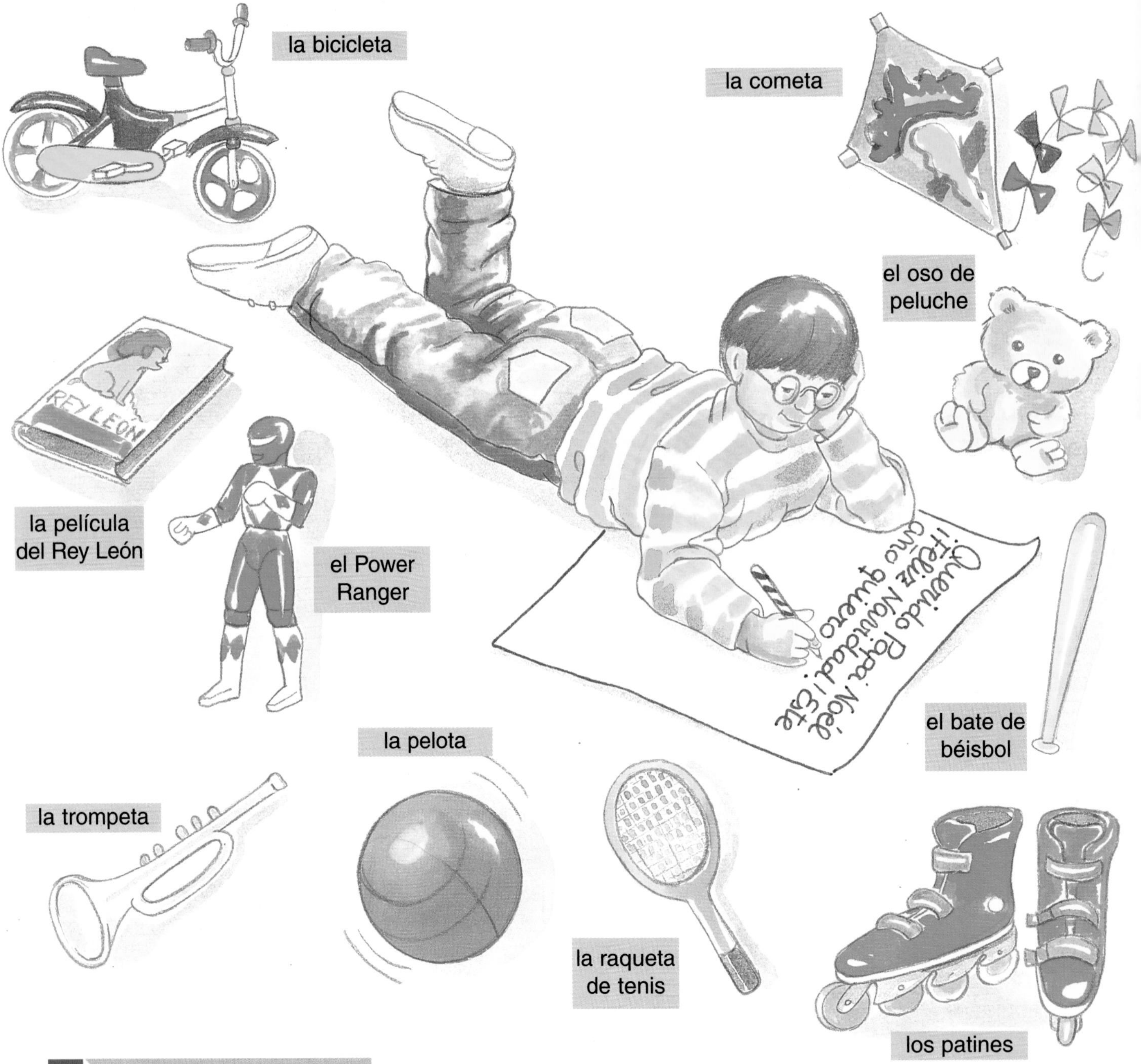

3 Relaciona y di sus nombres

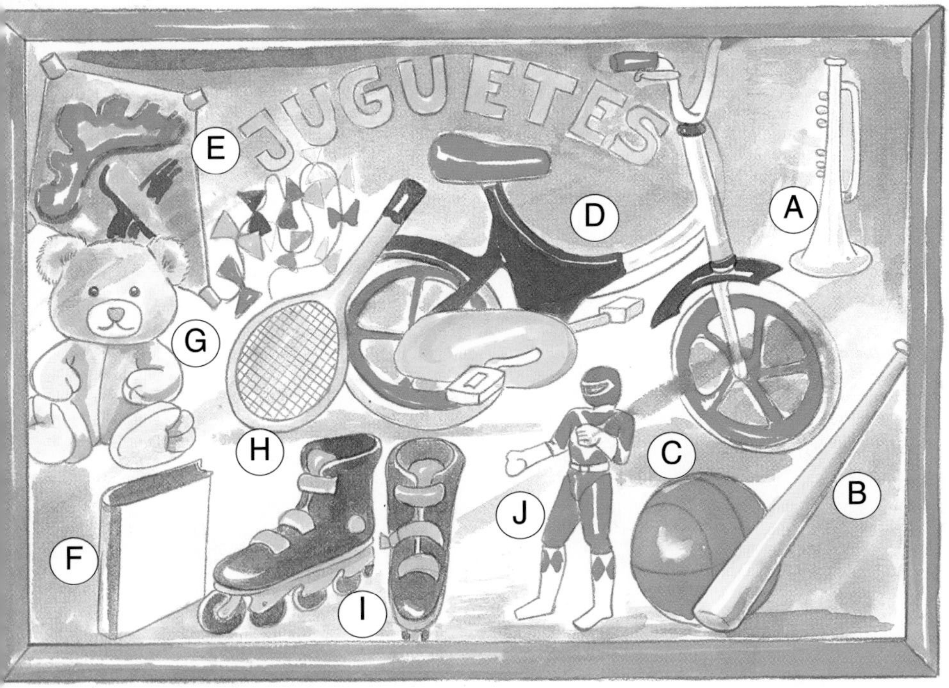

1. cometa
2. oso de peluche
3. bate de béisbol
4. trompeta
5. pelota
6. raqueta de tenis
7. bicicleta
8. Power Ranger
9. película del Rey León
10. patines

4 Lee y habla

5 Escucha y observa

Mi juguete preferido es esta pelota.
Mi juguete preferido es esta raqueta.
Mi juguete preferido es este tren.
Mi juguete preferido es este Power Ranger.
Mi juguete preferido es este oso de peluche.

6 Di el nombre de tu juguete preferido y el de tus mejores amigos

				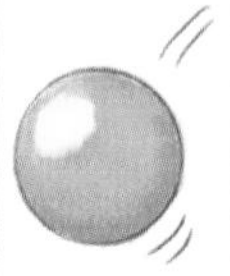					
Mi juguete preferido:									
El juguete preferido de ....:									
El juguete preferido de ....:									
El juguete preferido de ....:									

7 Escucha y mira

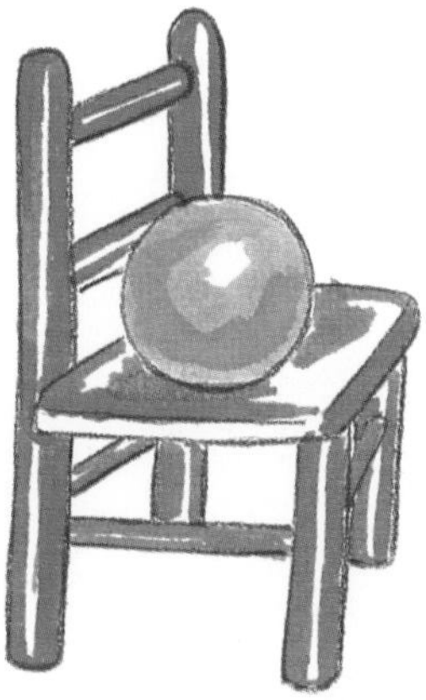

1

2

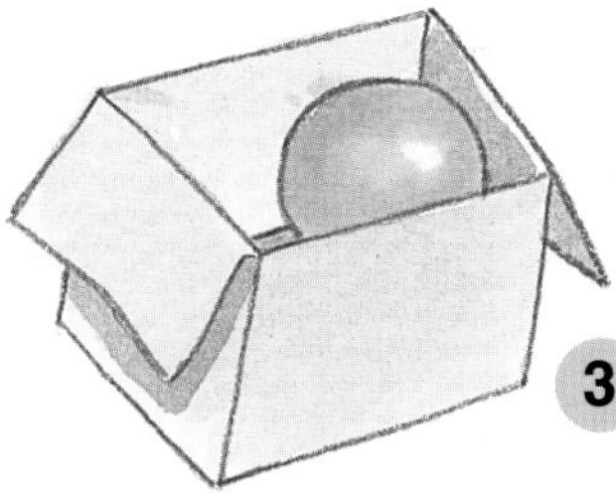

3

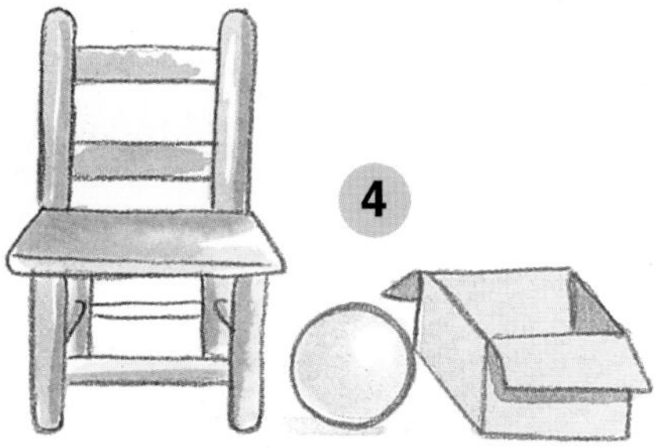

4

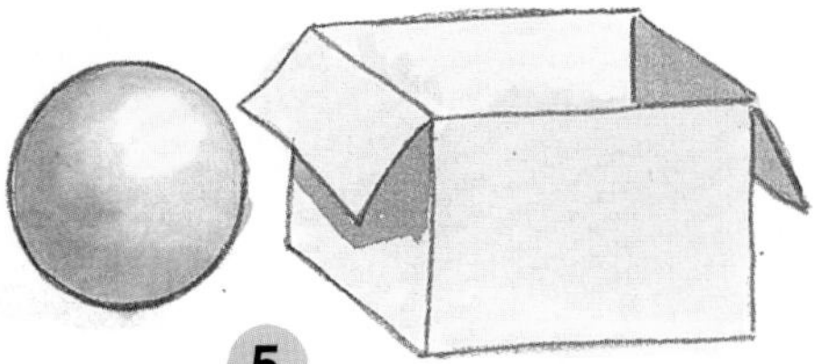

5

[1] La pelota está **encima** de la silla.
[2] La pelota está **debajo** de la silla.
[3] La pelota está **dentro** de la caja.
[4] La pelota está **entre** la silla y la caja.
[5] La pelota está **al lado de** la caja.

8 ¿Dónde están los juguetes? Se han escondido

9 Escucha y mete en un círculo

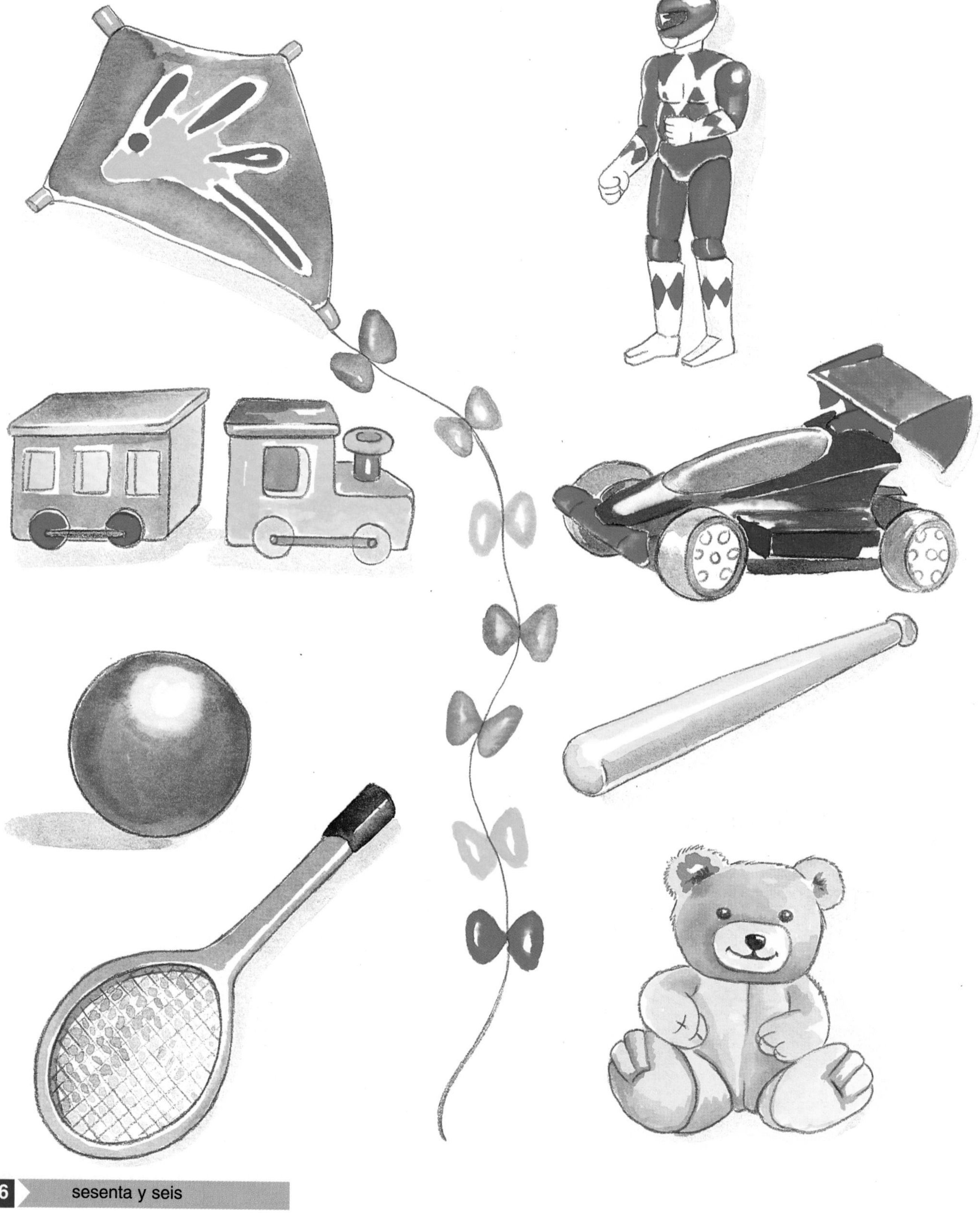

10 ¿Jugamos?

¿Quieres jugar a ...?

al fútbol

al pimpón

al baloncesto

a disfraces

al ajedrez

al parchís

11 Mira y lee

Fíjate

JUGAR

yo	juego
tú	juegas
él/ella	juega
nosotros/nosotras	jugamos
vosotros/vosotras	jugáis
ellos/ellas	juegan

Yo **juego** al fútbol,
y ¿tú?

12 Escucha y canta

Tengo una pelota,
sí, sí, sí,
bota, bota, bota,
sí, sí, sí.

Tengo un camión,
no, no, no,
corre, corre, corre,
no, no, no.

Tengo una raqueta,
no, no, no,
me da una rabieta,
sí, sí, sí.

Canción Popular

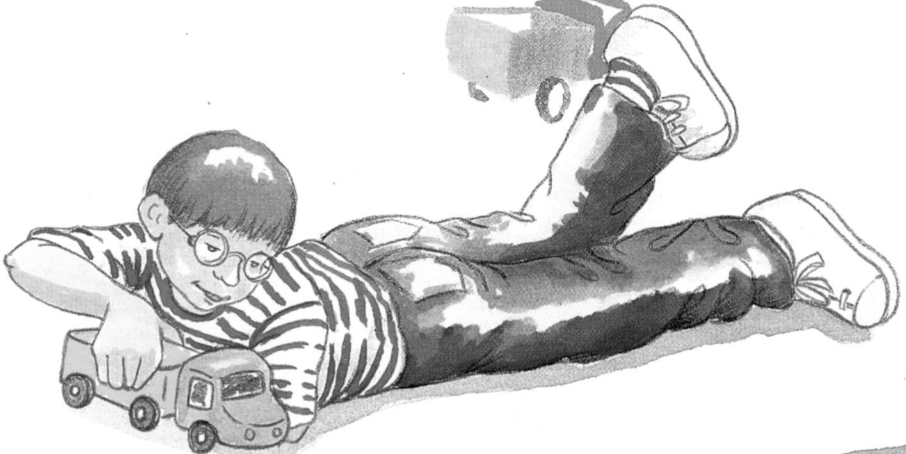

El bingo de los juguetes

10

Mis animales preferidos

1 **Escucha y mira el dibujo siguiente**

2 **Mira y lee**

3 Di sus nombres

4 Lee y habla

¿Cuál es tu animal preferido?
El elefante.
Mi animal preferido es la tortuga.

5 **Busca nombres de animales y dile a tu compañero/a cuáles has encontrado**

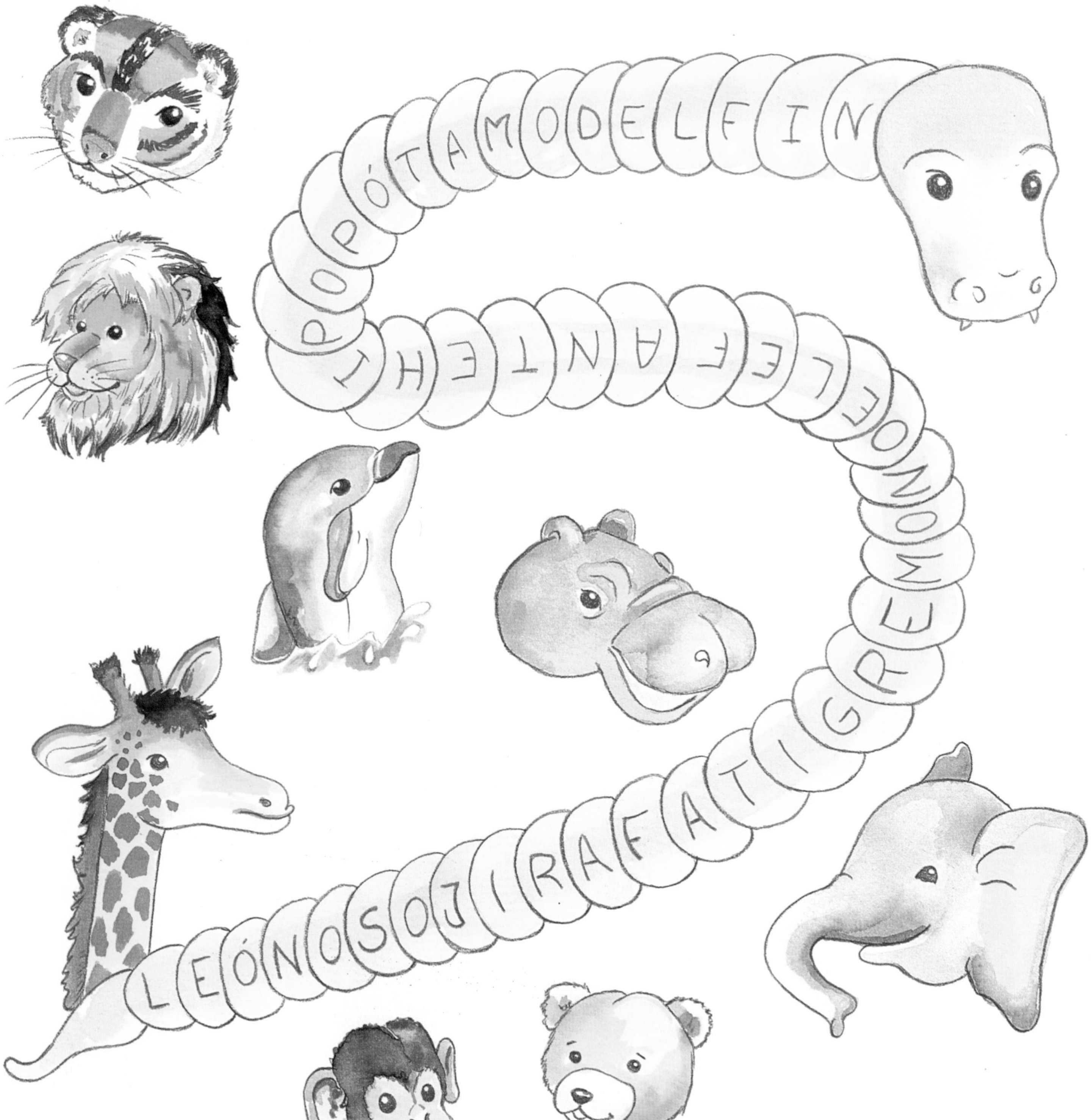

6 Escucha y mira

7 Escucha, mira y di sus nombres

8 Escucha y habla

9 Mira y lee

Fíjate

TENER

yo	tengo
tú	tienes
él/ella	tiene
nosotros/nosotras	tenemos
vosotros/vosotras	tenéis
ellos/ellas	tienen

Yo **tengo** un pez en casa.
. Ellos **tienen** un perro.

10 Habla y dibuja

11 Escucha y canta

Un elefante se balanceaba
sobre la tela de una araña;
como veía que no se caía,
fue a llamar a otro elefante.

Dos elefantes se balanceaban
sobre la tela de una araña;
como veían que no se caían,
fueron a llamar a otro elefante.

Tres elefantes se balanceaban
sobre la tela de una araña;
como....

Canción popular

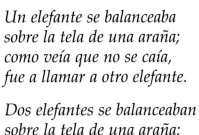

Los pececitos que van por el agua:
nadan, nadan, nadan, nadan, nadan,
y los otros pequeñitos,
nadan, nadan, nadan, nadan, nadan.

Los pajaritos que van por el aire:
vuelan, vuelan, vuelan, vuelan, vuelan,
y los otros pequeñitos,
vuelan, vuelan, vuelan, vuelan, vuelan.

Los pollitos que van por la tierra:
pían, pían, pían, pían, pían,
y los otros pequeñitos,
pían, pían, pían, pían, pían.

Canción popular

12 Cuenta y di su nombre

El juego de los animales

¡Feliz cumpleaños!

1 Escucha y mira el dibujo siguiente

2 Mira y lee

3 Habla

¿Cuántos años tienen?

Jesús

Tiene ....

Ana

Tiene ....

Lolo

Tiene ....

Raquel

Tiene ....

Cristina

Tiene ....

4 Lee y habla

5 Escucha y observa

6 Mira y relaciona

Gracias. | Sí, gracias. | Sí, es muy bonita. | ¡Felicidades! | Ocho años.

7 Escucha y mira

8 Lee y habla

Mi cumpleaños es el...

El cumpleaños de mi amigo/a es el...

Tengo vacaciones en...

Pega tu foto aquí

Mi cumpleaños es en
....

El cumpleaños de
.... es
en ....

El cumpleaños de
.... es
en ....

El cumpleaños de
.... es
en ....

El cumpleaños de
.... es
en ....

9 Di el mes de tu cumpleaños y el de tus amigos

	Tu cumpleaños	Cumpleaños de	Cumpleaños de	Tengo vacaciones en ....
Enero				
Febrero				
Marzo				
Abril				
Mayo				
Junio				
Julio				
Agosto				
Septiembre				
Octubre				
Noviembre				
Diciembre				

10 Mira y relaciona

Estos son los regalos de Isabel

11 Habla y relaciona

¿Qué regalos quieres para tu cumpleaños?

Quiero...

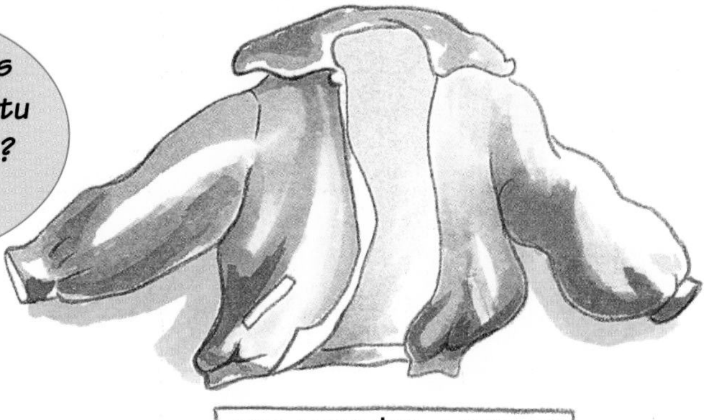

una cazadora vaquera

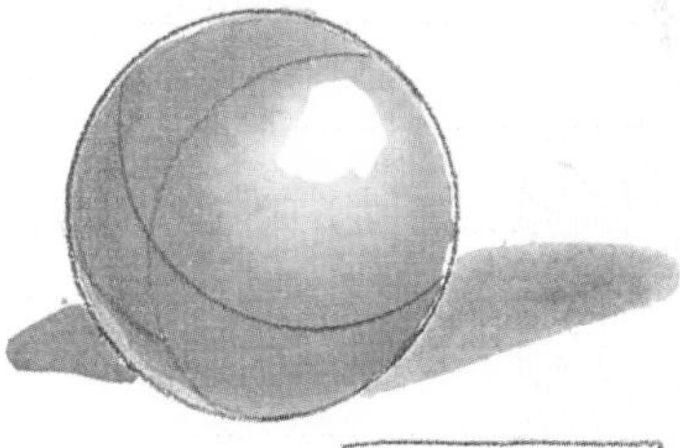

un balón

el disco de Madonna

el vídeo de Pocahontas

unas zapatillas de deporte

12 Escucha y canta

Cumpleaños feliz,
cumpleaños feliz,
te deseamos todos,
cumpleaños feliz.

13 Mira y lee

Fíjate

QUERER

yo	quiero
tú	quieres
él/ella	quiere
nosotros/nosotras	queremos
vosotros/vosotras	queréis
ellos/ellas	quieren

Para mi cumpleaños
quiero un tren.

14 Juega con tus amigos

Revisión 9-11

1 Lee y habla

¿Dónde están los ratones?

Pafi está ....
Pefi está ....
Pifi está ....
Pofi está ....
Pufi está ....

2 Di cuántos años tienen

3 Juega al "Preguntón"

Si no puedes contestar, retrocede 3 casillas.

1 SALIDA
2 ¿Cuántos años tienes?
3 ¿Cuántos años tiene tu mejor amigo?
4 ¿Cuándo es tu cumpleaños?
5 Retrocede tres casillas
6 ¿Cuántos animales hay?
7 Avanza tres casillas
8 Tira otra vez
9 ¿Cuál es tu animal preferido?
10 ¿Te gusta la tarta de chocolate?
11 ¿Quieres helado de fresa?
12 ¿Tienes un perro en casa?
13 Avanza cinco casillas
14 ¿Cómo se llama este animal?
15 ENERO ¿En qué mes es tu cumpleaños?
16 Pierdes un turno
17 Pregunta algo
18 ¿Sabes la canción de "Cumpleaños Feliz"?
19 Martes LUNES Viernes ¿Qué día es tu cumpleaños?
20 ¿Qué te gusta más?
21 ¿Cómo se llama este animal?
22 Retrocede cinco casillas
23 Tira otra vez
24 ¿Sabes una canción en tu lengua?
25 Vuelve a empezar
26 ¿Cómo se llama este perro?
27 ¿Sabes los números del 1 al 10?
28 META

4 Juega al juego de las peticiones

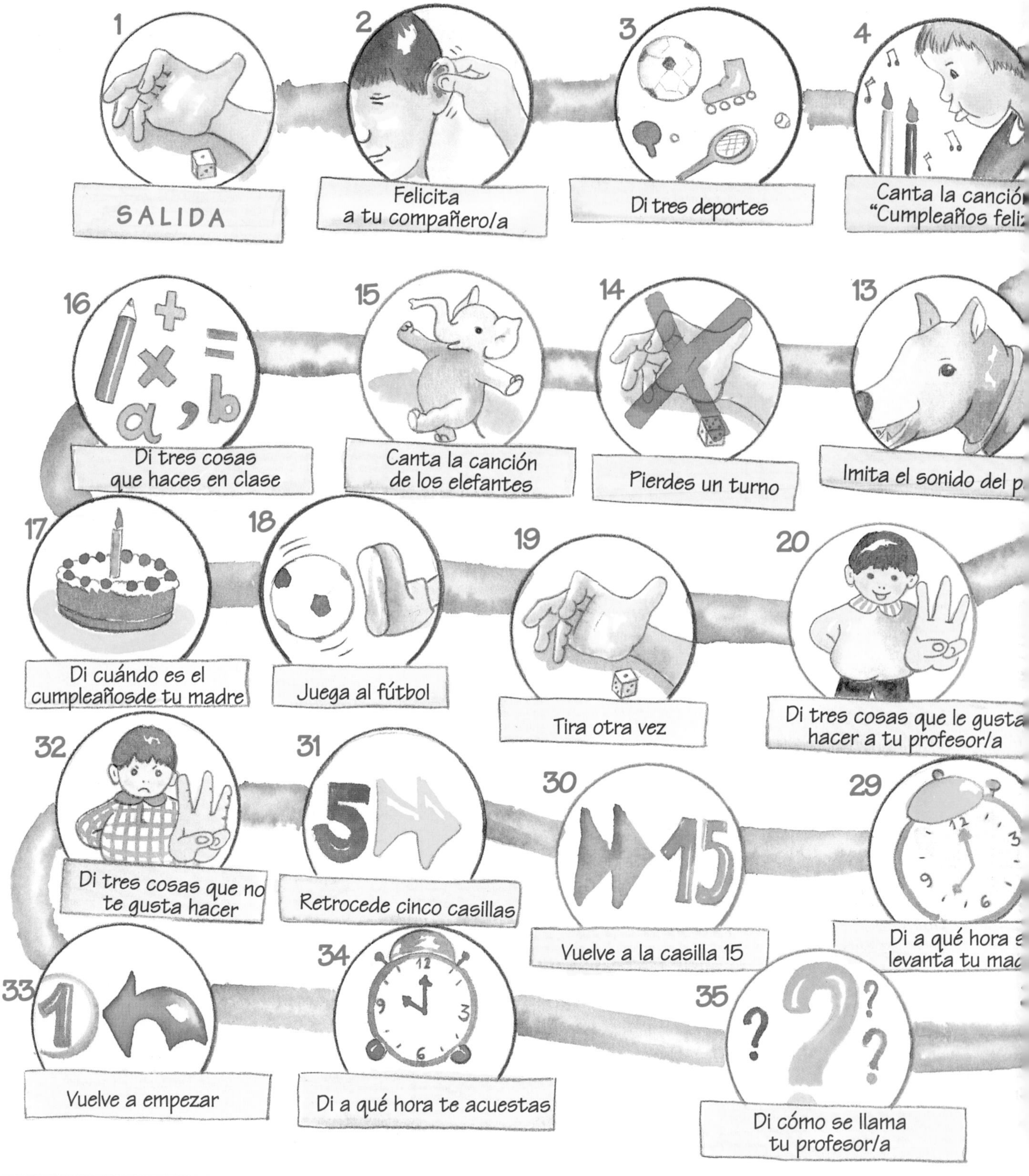
1
SALIDA
2
Felicita
a tu compañero/a
3
Di tres deportes
4
Canta la canció
“Cumpleaños feli
13
Imita el sonido del p
14
Pierdes un turno
15
Canta la canción
de los elefantes
16
Di tres cosas
que haces en clase
17
Di cuándo es el
cumpleañosde tu madre
18
Juega al fútbol
19
Tira otra vez
20
Di tres cosas que le gusta
hacer a tu profesor/a
29
Di a qué hora s
levanta tu mad
30
Vuelve a la casilla 15
31
Retrocede cinco casillas
32
Di tres cosas que no
te gusta hacer
33
Vuelve a empezar
34
Di a qué hora te acuestas
35
Di cómo se llama
tu profesor/a

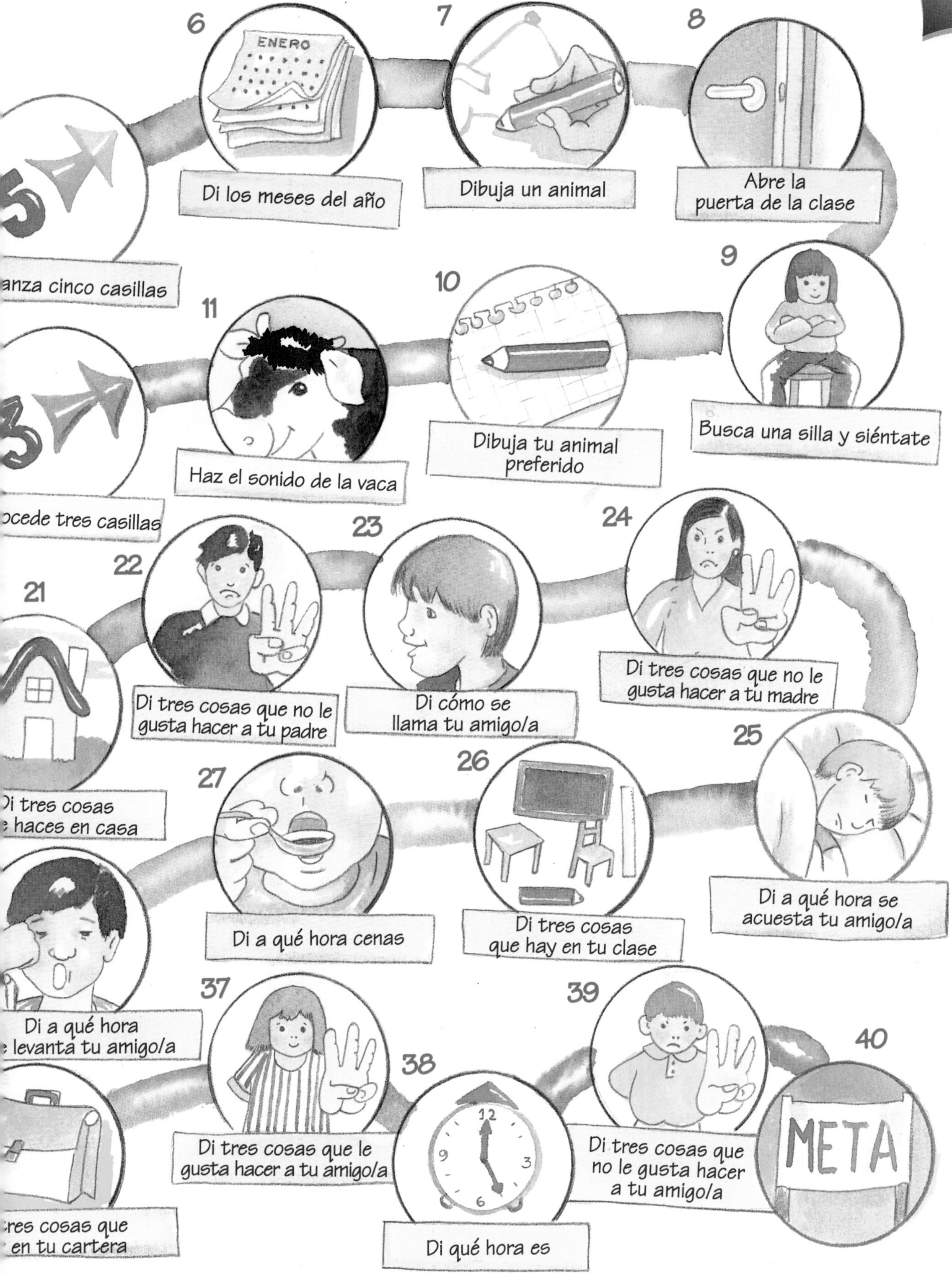

Di los meses del año

Dibuja un animal

Abre la
puerta de la clase

anza cinco casillas

Haz el sonido de la vaca

Dibuja tu animal
preferido

Busca una silla y siéntate

ocede tres casillas

Di tres cosas que no le
gusta hacer a tu padre

Di cómo se
llama tu amigo/a

Di tres cosas que no le
gusta hacer a tu madre

Di tres cosas
e haces en casa

Di a qué hora cenas

Di tres cosas
que hay en tu clase

Di a qué hora se
acuesta tu amigo/a

Di a qué hora
e levanta tu amigo/a

Di tres cosas que le
gusta hacer a tu amigo/a

Di qué hora es

Di tres cosas que
no le gusta hacer
a tu amigo/a

META

res cosas que
en tu cartera

Vocabulario ilustrado

La familia

el padre

la madre

el hermano

la hermana

el abuelo

la abuela

el niño

la niña

el amigo

la amiga

La ropa

los zapatos

la falda

el pantalón

la camisa

la camiseta

el vestido

las gafas

el abrigo

los calcetines

la blusa

El colegio

la clase

la mesa

la silla

el armario

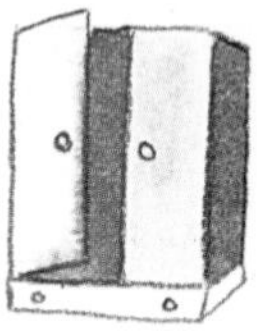

el profesor/
la profesora

el alumno/
la alumna

la cartera

el libro

el lápiz

la papelera

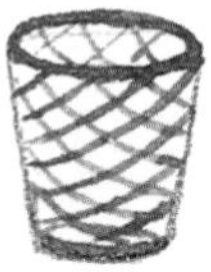

El cuerpo humano

la cabeza

el pelo

la mano

la nariz

la cara

las orejas

los ojos

el brazo

el dedo

la pierna

El tiempo

el cielo

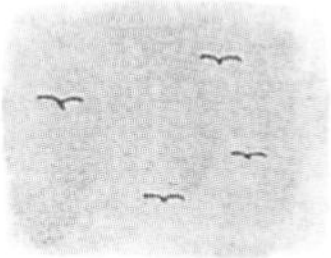

el sol

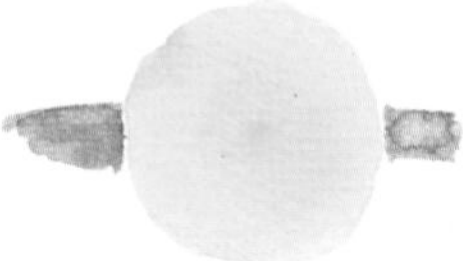

la luna

las estrellas

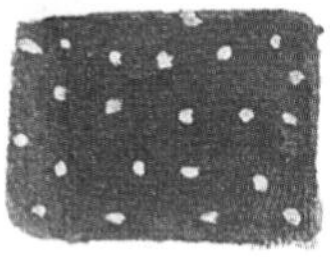

las nubes

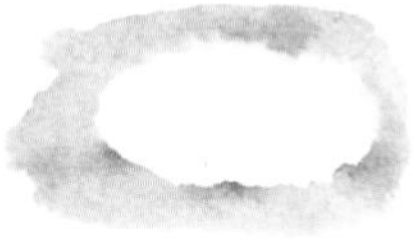

la lluvia

la nieve

la primavera

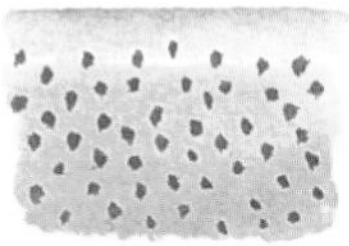

el verano

el otoño

el invierno

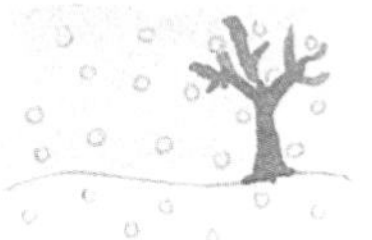

El hábitat

el pueblo

la casa

el dormitorio

la cama

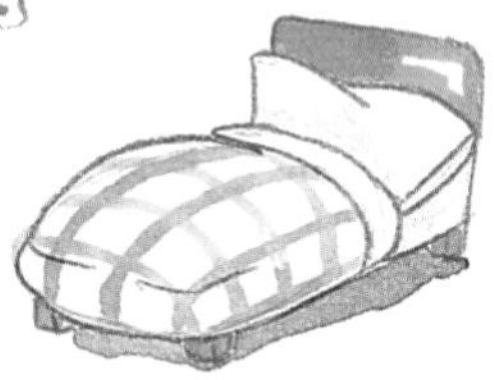

el salón

el cuarto de baño

el jardín

el espejo

Animales

el perro

el gato

el hámster

la tortuga

el caballo

la vaca

el oso

el elefante

el león

la jirafa

el tigre

el pez

Los juegos

la muñeca

la raqueta
de tenis

el balón

la pelota
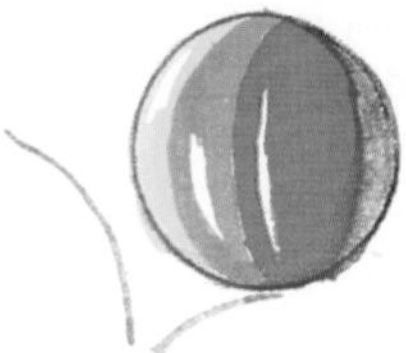

la bicicleta

los patines

la guitarra

la flauta
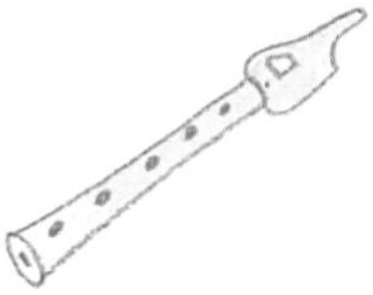

la trompeta
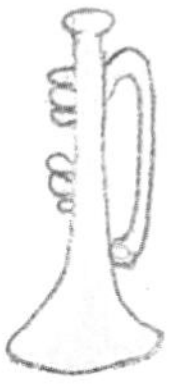

Glosario

A

abrigo, el	(6)	overcoat
abril	(11)	April
abrir	(2)	to open
abuelo/a, el/la	(1)	grandfather/grandmother
acción, la	(7)	action
acostar(se)	(3)	to go to bed
actuar	(7)	to act
adiós	(1)	goodbye
agacharse	(2)	to crouch (down)
agosto	(11)	August
agua, el	(10)	water
ahora	(5)	now
aire, el	(10)	air
ajedrez, el	(9)	chess
algo	(4)	something
alumno/a, el/la	(2)	pupil
amarillo/a	(6)	yellow
amigo/a, el/la	(1)	friend
andar	(3)	to walk, to go
animal, el	(10)	animal
año, el	(12)	year
araña, la	(10)	spider
árbol, el	(1)	tree
ardilla, la	(10)	squirrel
armario, el	(2)	cupboard, wardrobe
avanzar	(4)	to advance
azul	(5)	blue

B

bailar	(2)	to dance
balancear	(10)	to balance/swing
balón, el	(3)	ball
baloncesto, el	(9)	basketball
barco, el	(1)	boat
bate de béisbol, el	(9)	baseball bat
bingo, el	(6)	bingo
blanco/a	(6)	white
boca, la	(5)	mouth
bocadillo, el	(2)	sandwich/roll
bolígrafo, el	(2)	ball-point pen
bonito/a	(6)	pretty
botar	(9)	to bounce/throw/pitch
brazo, el	(5)	arm
brillar	(6)	to shine
búho, el	(7)	owl

C

caballo, el	(1)	horse
cabeza, la	(5)	head
caer	(6)	to fall
caja, la	(9)	box
calcetín, el	(6)	sock
calculadora, la	(2)	calculator
calendario, el	(2)	calendar
calor, el	(6)	heat
cama, la	(3)	bed
camión, el	(9)	lorry/truck
camisa, la	(6)	shirt
camiseta, la	(6)	T-shirt
campamento, el	(6)	camp/camp-site
canario, el	(2)	canary
canción, la	(2)	song
cantar	(2)	to sing
carta, la	(2)	letter
cartel, el	(2)	poster/wall chart
cartera, la	(2)	wallet
casa, la	(3)	house
casilla, la	(4)	square
cazadora, la	(11)	jacket
cena, la	(7)	dinner
cenar	(3)	to dine/have dinner
cerrar	(2)	to close
chicle, el	(1)	chewing gum
cielo, el	(6)	sky
círculo, el	(9)	circle
clase, la	(2)	class
cocina, la	(3)	kitchen
coche, el	(8)	car
coger	(2)	to take
colegio, el	(2)	school
comer	(2)	to eat
cometa, la	(9)	kite
compañero/a, el/la	(2)	colleague/mate
conducir	(8)	to drive
conejo, el	(10)	rabbit
corto/a	(5)	short
cosa, la	(2)	thing
cuaderno, el	(2)	exercise book
cuarto de baño, el	(3)	bathroom
cuello, el	(5)	neck
cuento, el	(2)	story
cuerpo, el	(5)	body
cumpleaños, el	(11)	birthday

D

deberes, los	(3)	homework
decir	(1)	to say/tell
dedo, el	(1)	finger
delfín, el	(10)	dolphin
deporte, el	(12)	sport
desayunar	(3)	to have breakfast
día, el	(8)	day
dibujar	(2)	to draw
diciembre	(11)	December
disco, el	(11)	disk/record
divertir(se)	(6)	to have fun/amuse
domingo, el	(7)	Sunday
dormir	(2)	to sleep
dormitorio, el	(3)	bedroom

E

elefante, el	(1)	elephant
empezar	(4)	to start/begin
encender	(7)	to light
enero	(11)	January
escalera, la	(7)	stairs
escribir	(2)	to write
escuchar	(1)	to listen (to)
espejo, el	(3)	mirror

estar	(2)	to be		león, el	(10)	lion
estrella, la	(6)	star		levantar(se)	(2)	to get
estudiar	(7)	to study		libro, el	(1)	book
				luna, la	(6)	moon
F				lunes, el	(7)	Monday
falda, la	(1)	skirt				
familia, la	(1)	family		**LI**		
febrero	(11)	February		llamar(se)	(1)	my name is.../I am...
felicidades	(11)	congratulations		llave, la	(1)	key
fiesta, la	(7)	party		llegada, la	(1)	arrival
fijar(se)	(2)	to look (closely) at		llegar	(3)	to arrive
flauta, la	(7)	flute		llover	(6)	to rain
frío, el	(6)	cold		lluvia, la	(6)	rain
función, la	(7)	performance				
				M		
G				madre, la	(1)	mother
gafas, las	(6)	glasses/spectacles		magia, la	(7)	magic
gallina, la	(10)	hen		mano, la	(1)	hand
gato, el	(3)	cat		mañana, la	(3)	morning
gimnasio, el	(7)	gymnasium		mapa, el	(2)	map
goma, la	(1)	rubber (UK)/eraser (USA)		mar, el	(3)	sea
gracias	(11)	thanks		marrón	(5)	brown
grande	(5)	big/large/grand		martes, el	(7)	Tuesday
guitarra, la	(3)	guitar		marzo	(11)	March
gustar	(3)	to like/please		mayo	(11)	May
				mes, el	(12)	month
H				mesa, la	(2)	table
habitación, la	(3)	room		meta, la	(4)	goal
hablar	(1)	to speak		miércoles, el	(7)	Wednesday
hacer	(2)	to make/do		mirar	(1)	to look
hacer el pino	(7)	to stand on one's head		mono, el	(12)	monkey
hámster, el	(2)	hamster		montaña, la	(6)	mountain
helado, el	(12)	ice-cream		montar	(7)	to ride
hermano/a, el/la	(1)	brother/sister		moreno/a	(5)	dark-skinned
hipopótamo, el	(10)	hippopotamus		mucho/a	(6)	a lot
hoja, la	(1)	leaf		mula, la	(3)	mule
¡hola!	(1)	hello!		muñeco, el	(3)	doll/puppet
hora, la	(3)	time				
hoy	(11)	today		**N**		
hueso, el	(2)	bone		nadar	(7)	to swim
				nariz, la	(1)	nose
I				negro/a	(5)	black
imitar	(12)	to imitate		nevar	(6)	to snow
ir	(3)	to go		niño/a, el/la	(1)	boy/girl
isla, la	(1)	island		no	(1)	no
				noche, la	(3)	night
J				nombre, el	(2)	name
jabón, el	(1)	soap		noviembre	(11)	November
jirafa,la	(10)	giraffe		nuevo/a	(6)	new
jueves, el	(7)	Thursday		número, el	(12)	number
jugar	(1)	to play				
juguete, el	(9)	toy		**O**		
julio	(11)	July		observar	(1)	to observe
junio	(11)	June		octubre	(11)	October
				ojo, el	(1)	eye
L				oreja, la	(5)	ear
ladrar	(8)	to bark		oso, el	(9)	bear
lápiz, el	(2)	pencil				
largo/a	(5)	long		**P**		
lavar(se)	(3)	to wash (oneself)		padre, el	(1)	father
leer	(1)	to read		pájaro, el	(6)	bird
lengua, la	(12)	tongue		pantalón, el	(6)	trousers

papelera, la	(2)	wastepaper basket
parchís, el	(9)	Ludo
pasillo, el	(3)	corridor
patinar	(31)	to skate
patines, los	(31)	skates
patio, el	(7)	court/courtyard/patio
pato, el	(10)	duck
payaso, el	(5)	clown
pedir	(2)	to ask
peinar	(3)	to comb
pelirrojo/a	(5)	redhead
pelo, el	(5)	hair
pelota, la	(1)	ball
pequeño/a	(5)	small/little
perchero, el	(2)	clothes rack/coat stand
perder	(4)	to lose
perro, el	(1)	dog
pez, el	(10)	fish
piar	(10)	to tweet
pie, el	(5)	foot
pierna, la	(5)	leg
pimpón	(9)	ping pong/table tennis
pintura, la	(2)	paint/painting
piscina, la	(7)	swimming pool
pizarra, la	(2)	blackboard
playa, la	(6)	beach
pollito, el	(10)	chick
popular	(8)	popular
preferido/a	(9)	favourite
preguntar	(4)	to ask
preparar	(8)	to prepare/get ready
problema, el	(2)	problem
profesor/a, el/la	(1)	teacher
pueblo, el	(6)	village
puerta, la	(2)	door

Q

querer	(2)	to like/love
queso, el	(1)	cheese

R

rana, la	(10)	frog
raqueta de tenis, la	(3)	tennis racquet
ratón, el	(12)	mouse
recreo, el	(7)	break/breaktime/playtime
regalo, el	(11)	present
regla, la	(2)	ruler
relacionar	(1)	to relate/connect
reloj, el	(3)	watch
resolver	(2)	to solve/resolve
retroceder	(4)	to go/turn back
rojo/a	(6)	red
ropa, la	(6)	clothes
rosa, la	(1)	rose
rotulador, el	(2)	marker pen
rubio/a	(5)	blonde

S

sábado, el	(7)	Saturday
saber	(2)	to know
sacapuntas, el	(2)	pencil-sharpener
sacar	(2)	to take out
salida, la	(1)	exit
salir	(1)	to go out
salón, el	(3)	living-room
sentarse	(2)	to sit down
señalar	(3)	to point out/indicate
septiembre	(11)	September
ser	(1)	to be
sí	(2)	yes
siempre	(8)	always
silla, la	(1)	chair
sol, el	(6)	sun
sonar	(3)	to ring
sonido, el	(12)	sound

T

también	(5)	also
tarde, la	(3)	afternoon
tarta, la	(8)	cake
taza, la	(1)	cup
tele, la	(7)	telly
tener	(10)	to have
texto, el	(4)	text
tirar	(4)	to throw
tocar	(7)	to play
tortuga, la	(2)	tortoise/turtle
tren, el	(11)	train
triste	(7)	sad
trompeta, la	(9)	trumpet
turno, el	(4)	turn

U

uña, la	(1)	fingernail/toenail

V

vaca, la	(10)	cow
vacaciones, las	(6)	holidays
vaso, el	(1)	glass
ventana, la	(2)	window
ver	(3)	to see
verano, el	(6)	summer
verdad, la	(5)	truth
verde	(5)	green
vestido, el	(6)	dress
vez/veces	(5)	time(s)/occasion(s)
viento, el	(6)	wind
viernes, el	(7)	Friday
volar	(7)	to fly
volver	(2)	to return/come back

Y

y	(6)	and
ya	(6)	already
yogur, el	(1)	yoghurt

Z

zapatillas, las	(11)	slippers/sport shoes
zapato, el	(1)	shoe